知的生きかた文庫

気持ちの整理

不思議なくらい前向きになる94のヒント

斎藤茂太

三笠書房

はじめに

気分転換のコツをつかめば、人生に〝いい循環〟がめぐってくる

「そうか。こうすれば、うまくいきそうだ」

「なーんだ、こう考えればよかったのか」

と、ストーンと「憑《つ》き物」が落ちたような気分になったことはないだろうか。

そして、その「もう大丈夫。なんとか自分の力でやれそうだ」という〝手応え〟を得たときの喜びというのは自分だけのものだ。この〝自分だけのもの〟が大切なのであり、あなたの一生を「下支え」してくれるのだ。

そうか、この道を歩いていけばいいのだ、という〝確かさ〟を感じたとき、あなたの、その「足取り」は知らず知らずのうちに「軽く」なっているはずだ。

できるなら、いつもそんな足取りで歩いていきたい。ときには鼻歌を口ずさみ、スキップを踏みながら、ときには、道草するのもよい。

しかし、生きていくということは、「悩み」「迷い」「くよくよ」……などの、自分の気持ちとの「闘い」のようにも見える。また、闘えば闘うほど吸い込まれて逃れられなくなるような、手に負えないもののようにも見える。とても「足取り軽く」といった心境にはなれない人もいるだろう。

そういう人は、まず、自分の心を、そっと覗いてみてほしい。

そして、そんな悩み、迷い、くよくよ……は、どこから来るのだろうか？　と興味を持って手探りをしてほしい。気持ちをほぐして、ひとつひとつたぐり寄せてみたら、そこに、意外な「何か」が発見できるだろう。「犯人はこいつか」とわかれば、憑き物も落ちるはずだ。もちろん、そのヒントは、本書のなかにもある。

いずれにしても、「足取り軽く」生きるのがよい。「軽く」と書くと誤解されそうだが、けっして悩むな、迷うな、くよくよするな、といっているのではないし、お気楽に生きるほうがいい、というつもりもない。

ここでいいたいことは、深刻になって、そんなに自分を追いつめなさんな！　ということだ。

「あのとき、こうしておけば、今ごろはきっと……」

「あの人が、あんなことをいわなきゃ、うまくいったのに……」

と、何かにつけグチをいい、悩み、迷い、くよくよしながら日々を過ごすのは、知らず知らずのうちに、自分で自分を追いつめているようなものだ。それは、疲れはてて、とぼとぼと「重い足取り」で歩いている人の姿ではないか。

日々、「足取り軽く」を心がけてみよう。それだけで、心も軽《かろ》やかになる。

好きな人との待ち合わせに向かって歩いていくような、あの、ワクワクした気持ちを忘れてはならない。

斎藤茂太

気持ちの整理　不思議なくらい前向きになる94のヒント■目次

本文イラスト／古川タク

気持ちの整理　不思議なくらい前向きになる94のヒント

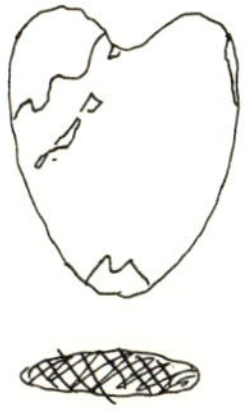

1
つらいときこそ、あなたはいい「運」をためている

自分では「ムダな時間」と思っていることが、実はプラスの時間であることは多い。というよりも、自分で「これはマイナスの時間」と思ってしまえば、それは本当にマイナスの意味しか持たない。どんな時間もプラスの意味を見出せれば、本当に「プラスの時間」として生きてくるものではないだろうか。

私は、ただ口先だけのきれいごとでこんなことをいっているのではない。わが斎藤家にも大きなマイナス時間がふりかかったことが何度もある。そしてそれは、全てプラス時間に転換したと私は信じているのである。

例えば、私が小学三年生のときの火事だ。炊事場から出た火はあっという間にまわり、私は裸足で逃げ出してやっとのことで助かった。しかし、病院は焼け、住む家はなくなり、知り合いの人の家や叔父の家に居候《いそうろう》することになった。

しかも、病院は大きな借金を抱えていた。病院の再建の苦労を背負った父・茂吉は、

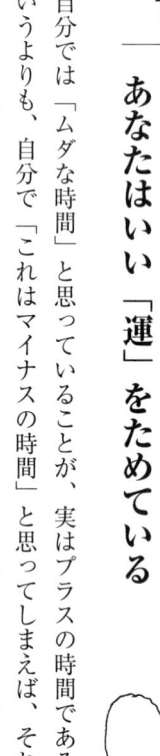

神経衰弱になったと自分で書いている。ところが、茂吉の、後世に残るいい作品は、ほとんどこの火事以降に書かれたものなのだ。火事で書斎も焼けたが、焼け残った風呂場に畳を持ち込んで、そこを書斎にして書いたのだ。茂吉は、自分にふりかかった「マイナス時間」をみごとに「プラス時間」に変えたのだろう。

こうして再建した病院が、戦争で再び丸焼けになってしまったのは、今度は私の代だった。私も、十年かかったが、少しずつ病院を立て直していった。これをやりとげたことは、私にとって、大きな「プラス」であった。

もしも病院が火事で焼けなかったら、私はもっと幸せになっていただろうか。火事は私にとって、人生の回り道だっただろうか。私はそうは思わない。一生懸命にやったが、少しも苦労とは思わなかったし、あれは「プラス時間」だったと思っている。

火事もなく、戦争で病院が焼けることもなかったとしても、自分がそれを「プラス」と考えられなければ意味がない。お金で何ひとつ不自由のない生活をしていても、そんな毎日を「マイナス時間」と感じていれば不幸だろう。

何がプラスで何がマイナスかは、他人が判断できるものではなく、客観的な基準もない。自分自身で決めることなのだ。さて、あなたはどちらを選ぶのだろうか。

2

人生はオセロゲームのようなもの——いきなり元気にならなくても大丈夫

マイナスをプラスに転換する。これは人生を楽しく生きるために、ぜひ必要なテクニックだ。しかし、そんなことをいっても、今、つらい思いをしている真っ最中の人は、やはりつらい。けれども、よけいに落ち込むのはちょっと待ってほしい。

人生は、オセロゲームのようなものである。今までずっと黒のコマばかりでも、たったひとつの白いコマで、がらりと白いコマに裏返ってしまうことがある。

もしも今、あなたがネガティブ・シンキングに落ち込んでいても、たったひとつのきっかけで、それまでのことが全てポジティブに考えられるときが、きっとやってくる。マイナス時間の全てがプラス時間に変わるときがくる。それまでは、どっぷりマイナス時間にひたってもいいのだ。

波は寄せるときもあれば、ひくときもある。プラス時間があって、マイナス時間があってワンセットではないか。

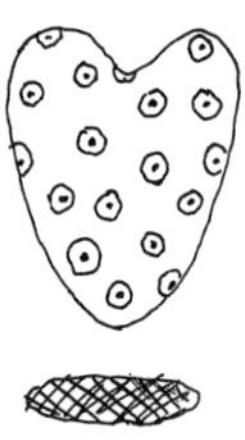

成功や出世がひきがねになって起こる「うつ」がある。人を押しのけて上ってきて、勝利したのはいいが、退路がない。そんなとき、うつに落ち込む人は多い。

アメリカの精神科医フレデリック・フラックの『ようこそ鬱《うつ》へ』という本に、こんなことが書いてある。

「成功を収めた人々は、貴重な犠牲をはらってそこまでたどり着いたのである。犠牲にしたのは、たとえば家族関係とか友情かもしれない。自分で設定したゴールに飛び込むや否や、ふいに自分が見捨ててきたものの尊さに気づいて、うつになる。このとき味わううつは、人生のバランスを取り戻すための絶好のチャンスである」

もしもあなたが今、マイナス時間にいるなら、きっとそれまでのプラス時間の反動がきているはずなのだ。今まで見捨ててきたものは何だったのか、一度じっくり考えてみてほしい。今まであまり注目しなかったけれど、実はあなたの人生にとって大切な何かを、きっと見つけるに違いない。

マイナス時間は、あなたに今まで欠けていたマイナスを知らせてくれる貴重な時間である。マイナス時間がなければ、そのまま見落としてしまった宝物を見つけるために、ぜひとも必要な時間なのだ。

3 心がいきづまったときは、この〝リセットボタン〟を押せ

人生は、次々に新しいことに取り組まざるをえない。小学校が終われば中学校の勉強が待っている。次は高校だ。学校を卒業すれば仕事を覚えなければならない。ようやく仕事を覚えたと思ったら昇進して、今度は部下の管理の方法で悪戦苦闘する。

小学校で覚えた算数でずっとやっていければ、こんなに楽なことはない。得意なことの範囲だけでやっていれば、いつまでもお山の大将でいばっていられる。

しかし、人生はどうもそういうふうにはできていないようだ。そのままやっていようと思っても、そうはいかない状況が必ずできてくる。そんなとき、すっかり今までの自信をなくしてしまう人も多いが、その前に、ちょっと考えてみてほしい。

誰だって、新しいことを始めたときは、その分野では小学校の一年生と同じなのだ。仕事が認められて昇進し、上司となっても、上司としては新米だ。部下がいうことをきかなかったり、思いどおりにいかないことがたくさんあって当たり前なのだ。

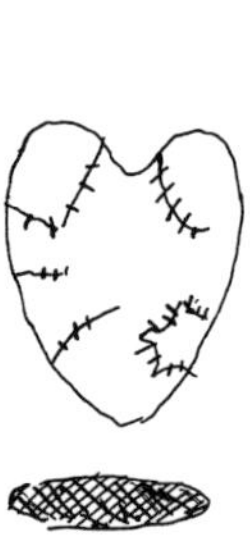

今までは、十キロの重さのバーベルで鍛えていて、楽々上がるようになってきたら、今度は五キロ増えた。そのとき、バーベルが重たいと思うのは当然である。

しかし、あなたの実力が「落ちた」わけではない。あなたは相変わらず、十キロのバーベルなら楽々持ち上げられるだけの能力は十分にあるのだ。十五キロがなかなか上がらないからといって、そんなに落ち込む必要はない。

うまくいかないことが続いて気分が落ち込んできたときには、自分が得意なことをやってみてはどうだろう。楽々とうまくできることをやってみれば、「ああ、おれもそう捨てたもんじゃない」と思い出すはずだ。あなたが今までに培ってきたものは、決して失われたわけではない。自分のできないことばかり見つめて自信をなくしてきたときは、自分のできることをやって、自分を取り戻そう。

知人の男性は、カラオケでうまく歌えなかったときは、得意な曲を歌うことに決めているそうだ。そうすれば、口直しで気分もよくなる。まわりにも「おれは本当は下手なわけじゃないんだ、さっきのは、まだ慣れてない曲なんだ」と示すことができる。

困ったときには得意なところに戻れ。このテクニックを、ぜひみなさんにも活用してほしい。

4 自分のへんなところ、他人におもしろおかしく話せますか？

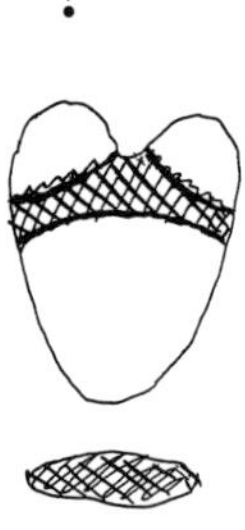

他人にちょっと何かいわれただけで、被害妄想におちいってしまう人がいる。

「あいつは、おれのことをバカにしてるんじゃないか」

と卑屈になったり、見当違いの攻撃で仕返しをしたりする。こういう人はだいたい、自分を笑い飛ばす余裕がないようだ。

人間には、さまざまな個性があって、クセがある。他人から見たらどうでもいいようなつまらないことにこだわっていたり、いつまでたっても子供っぽい趣味や、子供っぽい態度がどこかに残っていたりする。

それは、他人から見たら滑稽《こっけい》なものなのだ。しかし、他人から指摘されたり、笑われたりすると、本当のことなのに反発してみたり、逆に相手の滑稽なところを何とか見つけて仕返ししてやろうと必死になったりする。

しかし、それを始めてしまうと、人間関係がこじれてくる。あなたももう、りっぱな大人なのだから、自分の滑稽なところを自分で笑い飛ばす余裕を身につけてほしい。

自分で自分を笑える人間は、客観性を身につけている。自分を笑う目は、外から自分の姿を見ている目だからだ。自分の滑稽さがわかる人間は、自分を外側から見つめる能力があるのだ。反対に、自分で自分のことを笑えないのは、自分だけの思い込みの世界にひたっていて、自分を外から見る客観性があまり養われていない可能性がある。そんな人はぜひ、自分のおかしいところを見つける訓練をしてほしい。

例えば、他人に自分の行動を笑われたとき、自分のどんなところがおかしく見えたのか、他人の目になって考えてみるとよい。

私は、最近の若い人たちは、非常にユーモア感覚にすぐれていると思う。テレビではたくさんのバラエティ番組が放送されているし、お笑いタレントが大人気だ。その中で育った彼らは、自然に笑いの感覚を身につけているのだろう。

自分がやってしまったおかしなことを、他人におもしろおかしく話せるようになれば、もう他人に笑われることなどこわくない。他人に笑われたら、自分もいっしょに笑ってしまえばいい。

笑いは、あなたを余裕のある人間にしてくれるはずだ。

5 あなたは、「サーカスの象」と同じになっていないか

サーカスの象は、小さい頃に、頑丈な鎖でつながれる。子象は鎖をひっぱって逃げようとするが、まだ小さいので鎖は切れない。そのうち、逃げられないと観念して暴れるのをやめてしまう。

さて、この子象は年月がたつうちに大人になる。もう、つながれている鎖など簡単に切れるパワーを身につける。ところが、象は決して鎖を切って逃げようとはしない。象は、鎖が切れなかった経験はしているが、鎖を切った経験はしていない。「鎖は切れない」という観念が植えつけられているのである。

人間も、この象と同じだ。一度失敗したことを、「これは自分にはできないことなのだ」と思い込む。「苦手意識」を自分で植えつけてしまう。

しかし、考えてみてほしい。人間も子象と同じで、日々成長しているのである。いつまでも「これはダメだ」と思っていたら、本当にいつまでもできるようにはならな

い。そこまでである。

しかし、何度でも挑戦すれば、少しずつでも状況は変わってくる。ダメだと思っていたことが、あまりにすんなりできてびっくりすることもある。今までのコンプレックスが、突然、自信に変わることもあるはずだ。ぜひ、こりずに挑戦してほしい。

弟の作家・北杜夫が、こんな話を書いている。まだ小説家としてデビューする前に自費出版した『幽霊』を、母が岩波書店に見せにいった。ところが、その編集者に、「優等生の作文で、どこといってとりえがない」と突き返された。母は、「もう小説なんか書くのはやめなさい」と忠告した。しかし弟はあきらめなかった。いい悪いという判断は、あとになってみなければわからないという自負があったという。

結局、弟が信じたとおり、この本は別の編集者の目にとまって評価を得た。そして彼は小説家への道を歩み始めたのである。

今、うまくいかなくても、マイナスの結論を出す必要はない。できることをまずやって、できなかったことの評価は保留にしておこう。そのうちに、保留にしておいたことを、もう一度やってみよう。いい評価をたくさんためていけば、苦手なことに挑戦する勇気もわいてくるであろう。

6 元気でいられるコツは、こんな「小さな目標設定」にあり

あるとき、知人の若い女性がめずらしく元気がないので「どうしたの?」と聞いてみた。すると、彼女が熱狂的大ファンである外国のミュージシャンが最近来日し、目の前で見て、握手までしたのだという。それならうれしいことではないかと思うのだが、彼女はこういうのである。

「今まで、彼にひと目会うことを目標に生きてきたので、今、人生の目標を失って、どうしたらいいかわからなくて……」

彼女は、一時的に目標を喪失した、うつ状態だったのである。

人間が生き生きと毎日を充実させて生きていくためには、目標が必要だ。それは、どんな目標でもいい。彼女のように、大好きなアーティストに会うことでもいい。何かひとつの仕事をやりとげることでもいい。休暇を取って旅行に行くことでもいい。

何か目標があれば、それが励みになり、前に進む原動力になる。人間が悩みに落ち

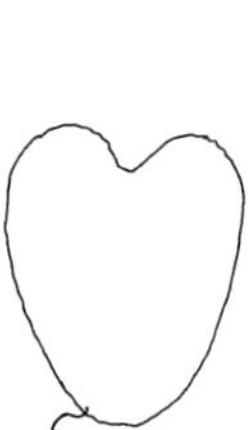

込むときは、だいたい先が見えないときである。どちらの方向に進んでいいのかわからず、右も左も視界が開けず、どんづまりのような気分になる。一メートル先も見えない霧の中にいるようなものだ。

そんなとき、じっと動かずに霧が晴れるのを待つ手もある。晴れて視界が開けてくれば、また動ける。または、誰かに手をひいてもらうのもいい。人のいうことに素直に従ってみるのである。むやみに走ってみる手もある。走れば、見える景色もまた変わってくる。走っているうちに、どこかに行き着くものだ。もしも道が間違っていたとしたら、また方向転換すればいいのだ。

あなたは今、何か目標を持っているだろうか。まずはあせらず、小さな目標をつくってみよう。「きょうの目標」「今月の目標」である。それができれば、自然にもっと先の目標も見えてくる。一年単位の目標、十年単位の目標も設定してみよう。目標は途中で変えたっていい。とりあえず現段階での指針をつくってみよう。

一里塚を目標に歩いていくうちに、いつのまにか遠くまで歩を進めているものだ。ときには立ちどまってもいいし、走ってみてもいい。あなたの人生を一歩一歩、進めてみよう。

7
たまには人生を「ネガフィルム」で見つめてほしい

不調におちいっているときは、過去のことが悔やまれるものである。

「あのとき、ああしていれば、今頃はずいぶん違っていたのではないか……」

不思議なことに、同じできごとでも、現在がうまくいっているときには、まったく違って見える。

ある女性は、調子のいいときは両親が今まで自分にしてくれたこと全てがありがたく思い出され、愛されていたと確信するが、不調のときは、両親に傷つけられたことや、どんなに自分に無理解だったかということばかり思い出されるのだという。

また、ある男性は、調子のいいときには、仕事の苦労も全て意味のあることに思え、不調のときには、それが全てムダなことに見えて、むなしくなるそうだ。

誰しもそんな経験があるのではないだろうか。世の中のできごとは全て、いい面もあれば悪い面もある。プラスの意味にもとれれば、マイナスの意味にもとれる。

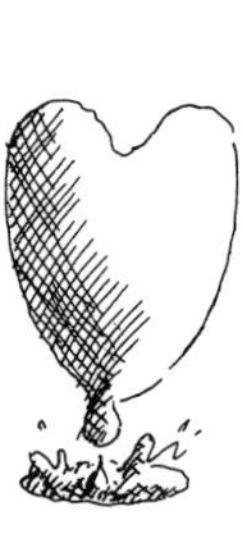

そして、気持ちの持ちようによって、常にその間を揺れ動いているようだ。あるできごとをポジフィルムでながめているときは、世界は光り輝いて見える。しかし、同じ風景をネガフィルムで見ると、確かに同じ風景のはずなのに、何もかも違う。何もかもがネガティブに見えてしまう。

しかし、一度でもこの感覚を経験した人は、逆に強いのではないだろうか。なぜなら、同じできごとをポジとネガの両方から見られたのだから、それだけ世界の見方が広がったわけである。

ポジティブ・シンキングなどというが、ポジティブからしか物事を見られない人より、ネガティブな見方も知っている人のほうが、人間の幅が広い。落ち込んで、何もかもを悪く解釈したり、すねたりひがんだりしている人の気持ちがわかる。いつもポジティブに生きてきた人は、ネガティブ人間の気持ちに無頓着である。

いつもいつもポジティブに生きてきた人は、確かにりっぱかもしれない。しかし私は、ある時期、ネガティブに落ち込んだ経験のある人間のほうが、人にやさしくなれると思うのである。人生のネガフィルムもじっくり見つめてほしい。その風景は、きっとあなたの心を豊かにしてくれるはずだ。

8

「打たれ強い人」「悩み強い人」になるための絶対ルール

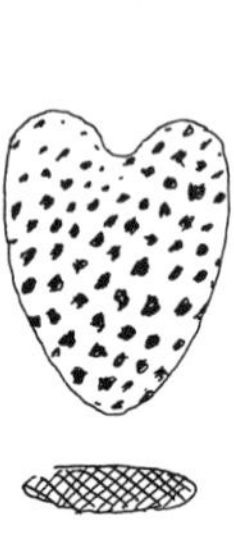

ある女性が、自分のつらい気持ちを友人に話したら、「ヒロイン症候群？」とからかわれて、ひどくショックだったという。

「この人は、ずっと幸せに生きてきたのだ。私の気持ちなんて、とうていわかってもらえない」と思って、彼女は心を閉ざしてしまったようだ。

つらいことや苦しいことがあって、つまらないグチをいいたくなるときは誰にもある。わがままをいいたくなったり、身勝手に会社を恨んでみたくなることもある。

そんなとき、「甘えているのだ」とか「人のせいにするな」ということはいくらでもできる。けれども、それはネガティブに落ち込んでいる人を決して救いはしない。

むしろ、自分の気持ちをわかってほしくて、ますます声を大にしてグチをいったり、ますます声を大にして周囲を恨んだり、それでも受けとめてもらえなければ「誰もおれのことをわかってくれない」と心を閉ざすだろう。

ネガティブ人間を救えるのは、ネガ経験者だけである。りっぱなアドバイスよりも、ただ黙って話を聞いてくれる人が必要なときもある。厳しい励ましの言葉よりも、温かく、安らげる言葉が必要なときもある。

もしもあなたが、今現在、ネガティブに落ち込んでいるなら、今の状態を心に刻みつけておこう。どんな言葉が、あなたの心に響いたか。誰の態度がうれしかったか。どんなことがあなたの心をアップさせてくれたか。どんなときに心が休まったか。

それを決して忘れないでおこう。そうすれば、あなたはいつか、今のあなたと同じような状況の人に、温かい言葉をかけることができるだろう。人の苦しみや、人の悲しみのわかる人間になれるだろう。

十キロのバーベルを持ち上げる練習をした人は、五キロなら軽々と持ち上げられる。あなたが苦しんだ分だけ、人の苦しみをいっしょに持ち上げられる人間になるのだ。ボクシングでは「打たれ強い」というが、「悩み強い」人間になれるのである。

ヒロイン症候群でもいいではないか。どっぷりヒロイン症候群につかってから、ぬけ出せばいい。そしていつか、ヒロイン症候群におちいっている人に手をさしのべる人間になるためなのである。

9 フロイトは落ち込んだ時こう言っている、ドストエフスキーもこう笑い飛ばしている

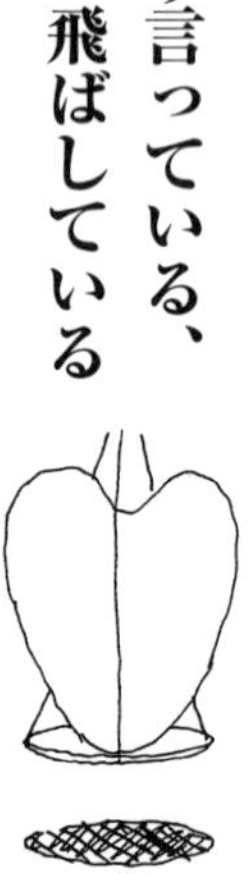

笑いは、人の心をときほぐす効果がある。また、ストレスに強い心を養う。普段からよく笑う人は、簡単にはへこたれない。いやなできごとも笑い飛ばす、心の余裕がある。精神分析の祖・フロイトは、

「ユーモアには心を解放する要素がある」

と述べている。例えば、まじめくさった緊張した場面。誰かがつまずいてコケたりすると、その場の緊張がどっとほぐれる。笑いには、緊張緩和の効用があるのだ。

また、神吉拓郎さんの『笑いの辞典』という文章の中にも、こんな一節がある。

「笑うとアセチルコリンの分泌が高まり、副交感神経の働きが強まる。同時に末梢《まつしょう》血管は拡がり、血圧はやや下がる。心臓の負担は軽くなり、血中の糖分が減る。唾液、胃液などの分泌は高まる」

副交感神経というのは、リラックスしたときに働く神経である。やはり、笑いは神

経をリラックスさせるのだ。

副交感神経が働いて、胃液の分泌も活発になれば、当然、食べ物の消化もいい。食事をしながらの歓談は、健康に必要なのだ。「笑う門には福来る」ということわざもある。笑えば笑うほど、体も精神も健康になる。当然、幸福だって寄ってくる。

ドストエフスキーの小説『死の家の記録』にはこんな言葉がある。

「人は相手の笑い方でその人柄を知る。君が相手をまるで知らないのに、その男の笑い方が好ましく思えたならば、君は確信していい——その男は善人なのだ」

あなただって、いつも暗い顔をしてぐちぐちとひがんでいる人より、にこにこと明るく、ユーモアを振りまいている人に魅力を感じるだろう。そんな人といっしょにいたいと思うだろう。笑いをふりまく人間は、人に好かれる。試しに、いつも笑っていてごらんなさい。きっと、これまでの何倍も人に好かれるはずだ。笑う人といっしょにいると、心が軽くなる。笑う人としゃべっていると、心がときほぐされる。

もしもあなたが、今、ちょっと落ち込んでいるなら、よく笑う人を見つけて、そばにいるといい。だんだん明るくなってくるだろう。そしてそのうちに、あなた自身が、笑いを周囲に伝染させる人間になれるだろう。あとは実行あるのみだ。

10 これが究極のポジティブシンキング、「自画自賛」のイメージトレーニング

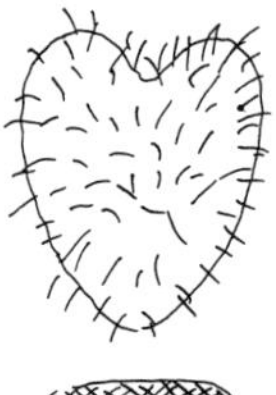

現役の頃の長嶋選手（現・巨人軍終身名誉監督）は、バッターボックスに入る前、いつも自分の成功したイメージを思い浮かべていたという。

例えば、三番打者の王選手がバッターボックスに入っていて、ツーアウト一、二塁。そんなとき長嶋選手は、王選手がヒットを打って、四番打者の自分がホームランを打つことをイメージしたという。いかにも長嶋さんらしいポジティブ・イメージだ。

王選手がホームランを打つことを思い浮かべたっていいはずだ。そうすれば、三点入って、自分に打席が回る。「ここでおれがどうしても打たなければ」というプレッシャーもない。自信のない人だったら、そんなプレッシャーのかかる状況をまねくより、「王選手よ、ホームランを打ってくれ」と願うだろう。

やはり、これほどの度胸、「自分が見せ場をつくるのだ」という自負があったからこそ、あれだけのスーパースターになったのだろう。あなたも、ただのポジティブ・

シンキングよりひと味上の、「長嶋式ポジティブ・シンキング」をマネしてみてはどうだろう。うまくいったところを思い浮かべるだけではない。より自分に都合のいい結果、より自分がカッコいいヒーローになった結果をイメージするのだ。

失敗しないために成功したイメージを一生懸命に思い浮かべるなんて、まだまだセコい。その発想自体があまりポジティブではない。それより、もっともっと、予想を超えるような大活躍を思い浮かべてしまったほうが、楽しくなってくるではないか。気持ちが大きく、愉快になってくるではないか。

仕事の場面でも、ただとどこおりなくうまく物事が進行するところをイメージするだけではもったいない。突然のハプニングが起こって、しかも、それをあなたがみごとにおさめてみせ、みんなに拍手喝采を浴びる。そんな物語を空想してみよう。

そんな空想をやっているうちに、「失敗するんじゃないか」というつまらない考えは、ばかばかしくてどこかに吹き飛んでしまうだろう。いかに誇大妄想的になれるか、いかに大ボラ吹きになれるかがポイントだ。

他人にウソをついて迷惑をかけるわけではない。自分の心の中では、自分を大いにヒーローにしてあげよう。それが自信につながってくるはずだ。

11 〝ベストな自分〟になるために——まずは「居場所」の整理から

私の病院の庭には、日本・外国のものを問わず、さまざまな樹木が成長している。これは全て、私が散歩の途中で実を拾ってきたものである。

初めての土地に行くと、「下を向いて歩こう」とばかりに、木の実を探しながら散策する。「これは見たことがないぞ」と思うと拾って帰って、うちの敷地に埋めてやる。すると、いつしか芽を出し、枝を伸ばしてくれる。

それぞれがりっぱに育ってくると、拾った当時のことや旅の思い出がまたよみがえって、二倍も三倍も楽しめるのである。

しかし、拾ってきた木の実の全てが芽を出して育ったかというと、そんなことはない。中には、ついに芽を出さずじまいだったものもある。日本の気候や温度、うちの庭の土に合わず、育たなかったものもあるだろう。

樹木や植物には、さまざまな種類がある。高温多湿を好み、たっぷり水をやったほ

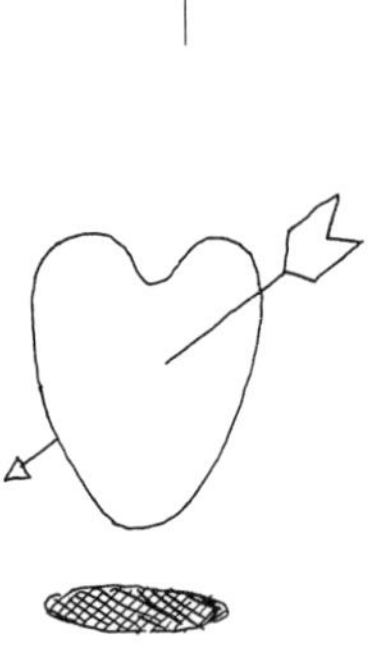

うがよく花をつける植物、土を乾燥ぎみにしないと根ぐされを起こしてしまうもの、たくさん肥料をやったほうがいいもの、肥料をやり過ぎると茎や葉ばかりが育って花つきの悪くなるもの……それぞれに、いちばん伸び伸びと育つ環境があるのだ。

人間も同じだ。あなたには、あなたがいちばん伸び伸びと個性を発揮できる環境がある。あなたの能力がぐんぐん伸びる環境がある。もしもあなたが今、自分の能力を十分に発揮できていないと感じるのなら、それは環境が合っていないのだ。あなたという個性の芽が出て育ち、花を咲かせる環境が、まだ整っていないのである。

それでは、あなたが伸びられないのは、あなた自身は悪くなくて、周囲のせいなのだろうか。そうではない。花を咲かせたいのなら、その植物に水がどのくらい必要で、太陽の光がどのくらい必要なのかを知って、よく合う土に植えなければならない。

あなたがよく育つ環境を自分に用意してやるのは、あなた自身なのだ。

うまくいかないことがあるのなら、それは自分自身の個性を知るチャンスだ。あなたはどんなことが好きで、どんなことが嫌いなのか。何が得意で、何が苦手なのか。何は許せて、何は許せないのか。じっくり自分を観察して知ろう。きっといつかは、自分で自分を、上手に育てられるようになるはずだ。

12

「場に慣れる」――〝心の強さ〟はここからスタート

ソウル五輪で金メダルをとったマラソンのジェリンド・ボルディン選手が、レースに勝つための条件を次のようにいっていた。

「まず、トレーニングだ。次にプレッシャーなしでレースに臨める精神的コンディションをつくらなければならない」

ボルディン選手は、ソウル五輪で、日本の中山竹通選手が勝つと思って、マークしていた。ところが、実際に優勝したのはボルディン自身だった。彼は、その理由をこう分析している。「中山はレース中、ナーバスになり、余計なことでエネルギーを浪費してしまい、ラストスパートの余力が残っていなかった」

日本人がオリンピックで勝てないのは「プレッシャーに弱い」からだといわれる。

しかしオリンピック選手に限らず、「ここ一番」というときに実力が出せない、あがってしまうという人は多いのではないだろうか。

「失敗するのではないか」「予想しなかったことが起こるかもしれない」「その日に限ってコンディションがよくないかもしれない」

などなど、心配し始めれば、心配のタネは山ほどある。

よくなるなら心配するのもいいが、心配するだけでは何も変わらないのである。

それでは、どうすれば、プレッシャーを感じることなくレースに臨めるようになるのだろうか。ボルディン選手はこういう。

「レースにあまり出ないからナーバスになるのだ。私のようにもっと多くのレースに出たほうがよい」

心配性でプレッシャーに弱い人間は、人生の〝レース〟に出ることが苦痛だから出場するのを避ける。けれども、避けていたら、いつまでたってもレースに慣れない。たくさんのレースに出ていれば、失敗を繰り返すが、度胸もついてくる。レースに勝つためには、心配するよりも、まずはたくさんのレースに出ることだ。恐れずにレースに出ることに挑戦してほしい。

あるプロテニスプレーヤーは、「強くなる秘訣は？」と聞かれてこう答えている。

「たくさん負けることです」

13 「ハード&リラックス」が集中力を長持ちさせるコツ

かつて、女子選手で初めて、陸上競技の一万メートルで三〇分台の記録を出したノルウェーのイングリッド・クリスチャンセン選手。彼女は、結婚して子供が生まれてから急に記録が伸びたといっていた。それまでは、それほど目立った活躍をしていなかったのに、出産を機に、めきめきと頭角を現したのだ。その理由を、彼女はこう語る。
「それまでは競技のことばかり考えていた。十分にリラックスすることもなかったし、レースでは逆に精神集中ができなかった。子供ができてからは、練習時間は減ったけど、すごく集中できるようになった」

子供の世話に時間をとられるようになったおかげで、かえって頭の切り替えが早くなったという。家事は全て自分でやり、料理や掃除をしたり、子供の世話をしているときは、レースのことはまったく考えないのだそうだ。

この話を聞くと、仕事をするばかりが能ではないことがよくわかる。仕事をする時

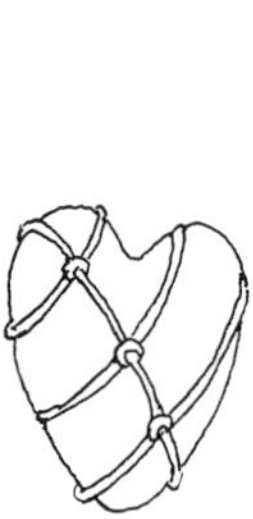

間が多ければ多いほど、いい仕事ができるわけではない。仕事のことばかり考えていれば仕事がうまく運ぶわけではないのだ。

リラックスする時間を持つと、逆に、集中するときには集中できる。遊びの時間を上手にとれば、仕事もはかどる。クリスチャンセン選手のように、家族との団欒《だんらん》の時間も大切だ。世のおとうさん族も、夜、家に戻って、妻や子供が話しかけてきたとき、「仕事で疲れているのに……」といわずに話す時間を持ってみてはどうだろう。

一日中、仕事のことで頭をいっぱいにしていては、ずっと張りつめたゴムのように、伸びっぱなしになってしまう。ときにはゆるめることが、長持ちさせるコツだ。

ワーカホリックにとっては、仕事以外のことを考えている時間は「もったいない」「ムダな時間」と考えがちだ。しかし、実はそれがまったくムダではなく、生きた時間になるのである。

クリスチャンセン選手はこういう。

「レースが全てだと疲れるでしょう、勝てなかったらがっかりするし。負けたときは家に帰って子供の世話をしていると、気も楽になるし、すぐに忘れられるわ」

気持ちの切り替えが下手な人は、ぜひこの方法を試してみたいものだ。

14 心を閉ざしてしまったあなたに何よりしてほしいこと

知人の女性が、ご主人を亡くした。愛する配偶者を亡くすことは、何よりもつらい。彼女はうつ状態になり、そのストレスがさまざまな身体症状になって現れた。

そんなあるとき、窓から庭をながめていると、枯れ葉が一枚、はらはらと落ちていった。その光景を見て彼女は心を動かされ、

「ああ、自然の美しさにこんなに感動するんだったらだいじょうぶ、これからも生きていけるわ」

と感じた。それからは徐々に回復し、すっかり元気になったそうだ。

生花《いけばな》の先生をしている女性もこういっていた。

「元気がないときでも、『花でも買って帰ろうか』という気持ちがある人は、まだだいじょうぶです」

うつ状態というのは、感情の流れにストップをかけられた状態である。例えば、あ

まりに悲しみが大きいとき、心はそれに耐えきれないのでガードする。その大きな悲しみをいっしょに味わってくれる人がいればいい。しかし、そこまで人の悲しみを理解してくれる人がいつもいるとは限らない。いつもそばにいる配偶者がいちばんの理解者だろうが、その配偶者を亡くした場合は、二重につらい。喜びと悲しみを分かち合える人を失い、しかも、その悲しみを分かち合える人がいないのだ。

行き場のない悲しみは心にたまってしまい、感情の流れにストップをかける。心の動きが悪くなるので、喜びも感じなくなる。感動することがなくなる。うつになる。

もしもあなたが、自分の気持ちを理解し合え、分かち合える人がいないと感じて心を閉ざしているなら、せめて花でも買って帰ってほしい。緑の美しいところに出かけて、自然にふれてほしい。

ごちゃごちゃといわずに、あなたの心をそっと休ませてくれる自然にふれよう。花を見つめていると、きっと花があなたをなぐさめてくれるはずだ。そして、その美しさに心が動けば、もうだいじょうぶだ。きっとまた、誰かに心を開き、分かり合うことができる。つらいことは癒《いや》されて、もう一回、挑戦する気持ちになるだろう。

さっそく今日にでも、花屋さんに出かけて、好きな花を買って帰ろうではないか。

15 悩むのは、それだけあなたが誠実な証拠です

悩みがあるときは、つらいものだ。頭の中は堂々めぐりで、いろいろなことを考える。しかし、答えは出ない。

本当は、悩んでいたってしかたがないのである。頭の中で考えているだけでは、状況は何も進展しない。現実に行動していかなければ悩みの元は変化しないのである。

それでは、なぜ人は悩み、現実的解決に向かって動き出さないのか。それは、ものすごくたいへんなことだからだ。悩みにおちいるときというのは、たいてい、今までの自分のやりかたではやっていけず、いきづまったときだ。

しかし、今までの自分を変えることほど難しいことはない。まず、自分が「これがいい」と信じて生きてきた生き方を否定しなければならない。これはつらい。アイデンティティの危機である。他人が、「こうしてみたらどうだ」とアドバイスしてくれるが、それは、あなたにはとうてい理解できないようなやりかただ。例えば、

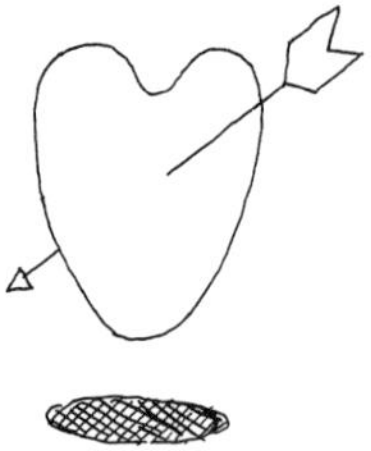

「君が上司とうまくいかないのは、態度がでかいように見られがちだからだよ。もうちょっと相手をおだててみたらどうだ」

という。しかしあなたは、調子よくお世辞をいう人間が何より嫌いで、それが自分の誠実さだと誇りを持って生きてきた。それなのに、「なるほど、そうだったか！」と次の日から、へらへらと調子いい人間に変身できるだろうか。

私はそうは思わない。むしろ、そんなに調子よく自分のやりかたをころころと変えられる人のほうが信用できない。自分のやりかたを守って生きており、それを変えなければならないときにはとことん悩む人のほうが、人間としては信頼できると思う。また、そういう人間のほうが、変わるときには本当にきちんと変われる人間なのだ。

つまり、悩むあなたは、人間として誠実に生きているのである。自分のアイデンティティをしっかり持って、一貫して生きている人なのである。自信を持ってほしい。

今までの自分を否定する必要はない。今までの自分は認めたうえで、少しずつ変わっていけばよい。少しずつ変わっていく過程では苦しく、たくさん悩むだろう。それは産みの苦しみだ。痛みのない出産はない。悩み、苦しんだ末には、きっと新しいあなたが産まれてくるだろう。大いに悩んで、新しい自分をつくっていこうではないか。

16 〝グズ〟を直せば人生はうまくいく

悩んでいるときの現実的解決法は、自分自身が今とは違う方向に変化するしかない。しかし、それはたいへんな苦しみを伴うので、つい、その苦しみを避けようとする。

「上司がこうしてくれれば……」

「部下がこう動いてくれれば全てはうまくいくのに……」

「なんであいつはそんなふうに考えるんだ。こう考えるのが当たり前じゃないか」

あなたにとっては、「自分の常識が世間の常識」である。それ以外の考えを持つ人は信じられない、といきまく。自分の考えは当たり前で、他人の考えはおかしいと思う。他人とぶつかって、どちらかが考えを変えなければならないとすれば、当然、相手のほうが考えを変えるべきに決まっている、と考えるのである。

あなたの考えることを上司が正しく理解してくれ、部下はあなたの思うとおりに動いてくれ、ワケのわからないことをいい出す人間がひとりもいなければ、世の中はこ

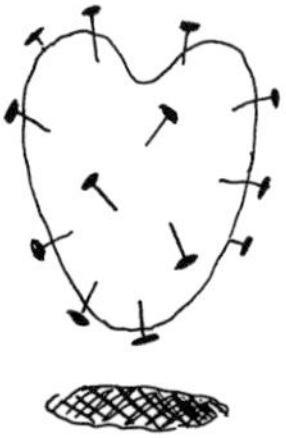

んなに楽なことはなく、幸せだ。

だからあなたは、ついつい他人が変わってくれることを期待する。他人が変わってくれれば楽だ。だから、「自分がやりかたを変えてみる」という現実的解決法に向かって動き出すのを、いつまでも先延ばしにしてしまう。

しかし、よく考えてみてほしい。あなたが自分のやりかたをなかなか変えられないように、他人だって、自分のやりかたを変えるのは至難の業なのである。彼も、彼女も、今までそのやりかたでずっと生きてきたのだ。自分ができないことを他人に強要するのは酷というものではないか。

悩みにおちいったとき、自分が変化するのがどんなに難しいことかは私も知っている。知っているから、あなたにそれを急がせたりするのはやめておこうと思う。じっくり悩んで、ゆっくり変わればよい。

ただ、あなたにも、他人が変化するのを期待したり、それを強要するのはやめてほしい。彼には彼のペースがある。彼は彼でゆっくり悩まなければ変われない。彼女は彼女でいきづまらなければ変われない。

他人も、あなたと同じように悩む人間なのだということを忘れてはならない。

17 ここさえ注意すれば、「グチ」は明日への活力になる

自分が変化できないのに、相手が変わることを望んだり、相手があなたの思うとおりにしてくれないのを恨んだりグチったりしても、何も変わらない。だから、グチをいってもしかたがないし、あまり前向きな行動とはいえない。

おまけにグチっぽい人というのは、なぜかどんどん不幸になっていき、いつまでもグチの渦からぬけ出せない。

しかし、それでは人間、グチのひとつもいわずにりっぱに生きていけるかというと、そうでもない。いってもしかたのないことと思っても、ついグチりたいときもある。誰かにその気持ちをわかってもらいたいときもある。弱音をはき、友人に、「おまえもたいへんだな」と一言いってもらいたい。それで気がすむこともあるのではないだろうか。

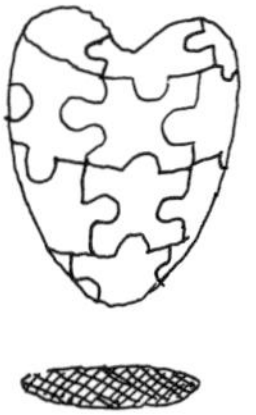

わがままだということも、あなたはわかっているだろう。しかし、そんなわがまま

勝手ないいぶんをいえる相手を持つのは大切なことだ。もし、そんな友人がひとりもいなかったらガス抜きができず、ストレスでぱんぱんになってしまうだろう。

グチをいえる相手は、できれば、同じような仕事をしていて、わかり合える立場の人がいい。しかし、あまり近すぎる関係でもないほうがいい。というのは、あまりに近い関係では、あなたのグチが周囲に伝わってしまう可能性もある。そこからまた、新たな火種をつくってしまうこともあるからだ。

また、グチをいったときに、あまり批判的だったり、アドバイス的な人よりも、よけいなことをいわずに共感をもって聞いてくれる人がいい。相手もグチばかりいっているような人では、不幸者同士が寄り集まってグチグチいっているイメージになってしまう。それより、ひとしきりグチって気がすんだら、お互いに笑い飛ばして、「さあ、またがんばろう」という気分にさせてくれる明るい人がいいだろう。

グチは制限時間をつくるとよい。

「これから一時間はグチをいわせてくれ」

「きょう一日はグチの日だ」

そして、あとはすっきりと気持ちを切り替えて、解決への行動を始めることだ。

18

「不平等は、誰にも平等に訪れる」

人間は平等か、不平等か。それは、何を基準に考えるかによって違うだろう。例えば、「所得」。年収が二千万円の人もいれば五百万円の人もいる。それだけ見れば不平等だ。しかし、遊んでばかりいる人と、朝から晩まで働いている人が同じ年収だったら、そちらのほうが不平等だろう。

また、働いている時間だけで決められるものでもない。ずっと会社でデスクに向かっていても、さっぱり仕事が進まない人もいるし、遊んでばかりいても、さっさと仕事をしてしまう人もいる。それでいて、そちらのほうがいい仕事をする場合もある。

時間給か、能力給か。その能力は、どこで判断するのか。そんなことをいろいろ考えていたら、本当に平等で公正な給料を支払うのは至難の業だろう。

また、肉体的な条件だって、平等ではない。人間はみな同じ顔で生まれてくるわけではない。美人もいれば不美人もいる。美人が異性にモテるのを見ていて、「不平等

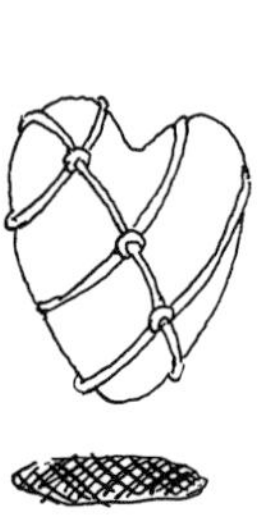

だ」と叫んでも、どうなるものでもない。

結局のところ、何が本当の平等なのか、誰にもわからないだろう。しかし、不平等は誰にも訪れる。あるところが勝っていれば、あるところでは劣っている。誰だってコンプレックスがある。

人間、誰もがいつかは死ぬ。そういう意味では、人間は全く平等ではないか。だいたい、幸・不幸というのは、自分で感じる以外、誰にも決められないことである。

もしもあなたが、〝私は世界一幸せだ〟と感じていたとする。そのとき誰かに、「おまえは世界一幸せなんかじゃない」

といわれたとしても関係ないだろう。誰にもあなたの幸せは邪魔できない。

反対に、あなたが美男でお金持ちで仕事ができて、客観的にはとてもめぐまれていたとしても、自分で「私は不幸だ」と感じているなら、やはり不幸だろう。本人が心からそう思えないのなら、やはり不幸なのだ。

幸せ・不幸せに客観的基準はない。それを決めるのは、あなたしかいない。そして、誰もが自分自身で幸・不幸を決定できる。その意味でも、人間はまったく〝平等〟ではないか。

19 想像力より「具体化力」が、気持ちの整理に役に立つ

悩んだり迷ったりしている人には、いくつかの特徴がある。そのひとつに、驚くばかりの想像力があげられる。それも、悪いほうへ、悪いほうへと想像する能力が高い。

「明日のプレゼン、うまくいけばいいが……急に何か準備不足だったことがわかるかもしれない。緊張してうまく説明できないかもしれない」

「私は今のところ彼氏がいて、結婚も決まりそうだけど、男なんて不誠実なものよね。きっといつか浮気して、その女に子供ができて、私は捨てられて、子供をふたり抱えて養育費も満足に送ってもらえず……」

などと、際限もなく想像するわけである。そして悩む。

さて、そんなあなたに私からのアドバイスがある。

まず、想像力より、「具体化力」をつけることである。想像は、頭の中だけでおこなわれる。しかし具体化は、現実に何がしかの行動が必要になってくる。

あなたの心配が心配どおりにならないために、今、何かできることがあるだろうか。例えば、明日のプレゼンの成功が心配なら、もう一回、資料を見直してみる。自分でシミュレーションして、予想される質問にどう答えるか準備するのもいいだろう。

もしもあなたが結婚しようとしている男が、本当に浮気してあなたを捨てるような不誠実な男だと思うなら結婚をやめればいい。そうでないなら、今からそんな心配をしてもしかたがないし、今できることは何もないだろう。

こうして、今できることをやってみようと考えてみると、「できること」と「できないこと」がわかってくる。できることがあるなら、あなたの心配が続いているかぎりやってみよう。

「今できること」をとにかくやっていると、できないことや考えてもしかたがないことはあまり気にならなくなってくる。

すると、〝自分にできることは全てやったのだ〟という充実感が生まれ、よけいな悩みや心配ごとは消えていく。

人間が、先のことを想像して心配するのは当然のことだ。だからこそ、いい未来をつくっていける。あなたの心配を、いい未来を現実化する原動力にしてほしい。

20 現実だってドラマと同じ、偶然の筋書きから「いいこと」が始まる

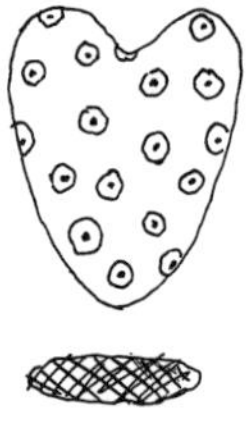

さて、悪い想像力を豊かに持っているあなたへのもうひとつのアドバイスは、その想像力をいい方向に転換することである。

スポーツ選手は「イメージトレーニング」でいいイメージを描くことを練習するという。あなたも、イメージトレーニングをしてみてはどうだろうか？

うまくいかない上司がいるなら、その上司と心の中で会話してみる。そのとき、上司がいいそうなカチンとくることばかりを想像してはいけない。上司がカチンとくることをいって、自分はこういい返して……と心の中でまでケンカを始めてしまうと、次の日、上司の顔を見ると腹がたつ。想像上のケンカで気分を悪くして、現実の関係までが、ぎすぎすすることになりかねない。

それより、仏様のような自分を想像し、上司に何をいわれてもにこにこと意に介さない自分を想像し、上司と和やかに会話しているところを想像する。お互いに意思が

通じて、大団円というところを想像するわけである。

まあ、難しいとは思うが、ひとつのゲームとでも思ってやってみればいい。〝まさか、こんないい結果になるなんてありえない〟と思うくらいのことを、えんえんと想像するのだ。本当は、悪い想像のほうだって、他人から見たら相当ばかばかしいものである。いい想像のほうだって、ばかばかしいくらい盛大にやってしまえばよいではないか。

これは、何か悪いことが実際に起こったときにも使える技だ。あなたはバッグを盗まれてしまった。中にはサイフや手帳など、大切なものが入っていたとする。現金は、もう戻ってこないかもしれない。しかし、手帳のほうは戻ってくるかもしれない。泥棒は、サイフだけをぬき取って、あとはそのへんに捨てておく。それを、心ある人が拾って、中を見る。すると、あなたの手帳が入っている。住所と電話番号を見て、連絡をくれる。すると、偶然にもその人は、あなたの仕事に重要な人物だったり、とてもステキな人で、恋が始まるかもしれない……。

映画やドラマは、だいたいそんな偶然の筋書きで始まっていくが、現実だって似たようなものである。小説より奇なる話は、現実にいくらでもつくれるのである。

21 サラリーマン生活がほとほといやになっている人に……

今、あなたの前にふたつの選択肢があるとしよう。

あなたは、サラリーマン生活がいやになっている。バカでものわかりの悪い上司のいうことを聞かなければならず、あるいはちっとも働かない無能な部下のめんどうを見なければならず、また、やれ「これは決まりだから」だのと、くだらないことをやらなければならない。こんなことを毎日やって、一生を終わるのかと思うと暗くなる。

マスコミ業界でフリーランスで働いている友人を見ていると、おもしろそうで、「自分もそんな仕事ができたらいいなあ」とうらやましい。一発あてればサラリーマンをやっているよりずっとお金も入る、と夢見る。

しかし、脱サラして成功するという保証はない。一方、現在の仕事を続けていさえすれば、十分な給料は入ってくる。つまらない仕事を続けて安定した生活を得るのか、好きなことをする自由を得て安定を捨てるのか。たいていの人はそこで、文句をいい

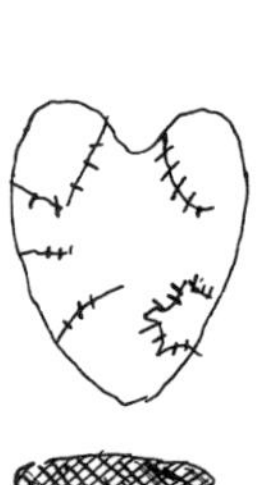

ながらも安定を捨てる勇気はないだろう。上司や会社のグチをこぼし、「脱サラして独立したいなあ」といいながら、サラリーマンを続けていく。

私は、それはそれでいいと思う。ふたつの選択肢がある場合、どちらが正しくてどちらが悪いわけではない。どちらの方向に向かうかは、まったくあなたの自由なのだ。けれども、それを決めているのは、自分だということは忘れないでほしい。どちらかに選択しているのは、あなたなのだ。誰かが強制しているわけではない。

「自分で選んでいるのだから、文句をいうな」というのではない。自分で選んでいても、文句をいいたくなるときだってある。人間はそれほどごりっぱなものではない。「自分で選択した道なのだから、グチをこぼしてはいけない」などと、そこまで自分に厳しくする必要もないではないか。少しくらい逃げ道をつくっておいたほうがよい。たまには弱音をはくくらいは、自分に許してやろう。

文句をいいながらサラリーマンを続けることを選んだのなら、会社帰りに一杯飲んでグチをこぼしながら、サラリーマンをやっていけばよいと思うのだ。

さて、あなたの選択肢、あなたの迷いは何だろうか。今のところ、どちらに決めているのだろうか。自分が選択していることを、一度よく考えてみるのもいいものだ。

22

はたから見れば、あなたは充分幸せです

「あのとき、ああしていれば……」

「あそこで、あれさえなければこうなっていたかもしれないのに……」

そんなふうに過去のことをいつまでも悔やんでいる人がいる。しかし、そんな人にかぎって、はたから見ていたら充分、幸せな人生に見えるものである。

ある女性が、大会社の社員の男性と知り合った。その彼は、自分のことを「不幸だ、不幸だ、ちっともいいことがない、おれにはいつ、いいことが起こるのか」と嘆いているのだそうだ。

そこで思わず、「でも、こんないい会社に就職なさって、生活の苦労もなくて、いいじゃありませんか」といえば、その会社に就職したことがどんなに間違っていたかを話し始める。

そこでまた、「でも、今の奥様とはその会社で知り合ったんでしょう。それでご結

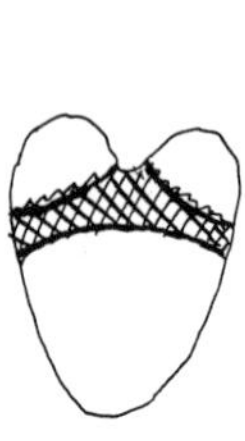

婚なさったんだからよかったじゃありませんか」といえば、家庭がうまくいっていないことをほのめかし、その結婚が間違っていたことを訴えるのだそうだ。

たぶん、こういう人にとっては、何もかもが間違いのものなのだろう。どこでどうなっても、〝これでよかった〟と思うことはないのだろう。

「あのとき、この会社に就職したのは間違っていた。別の会社に就職していれば……」

本当にそう思うなら、今からでも挑戦すればよい。

「こいつと結婚したのが間違っていた。別の結婚をしていれば……」

本当にそう思うなら、離婚すればよい。

自分の持っているものは守っておいて、つまらない人生を浮気でもしてごまかそうという人もいるだろう。相手もそれをわかってつきあってくれるなら、それもいい。

しかし、こういう人間はまたまた、「それが全ての間違いのもとだった」ということになるのではないか。

「～たら」「～れば」と自分の選ばなかったもうひとつの可能性ばかり見ていても、何にもならない。過去は変わらない。その過去の上に現在を積み重ねて、未来を変えていくしかないのである。

23

「きちんと悩める人」は、「しっかり立ち上がれる人」

ある占い師さんがこう話していた。

「とことん悩める人は、立ち上がるときはスーッと立ち上がるんですね。どん底までいったら、それ以下はないでしょう。ところが、中途半端に悩んでいる人は、どん底に落ちない代わりに悩む期間が長びくのです。いつまでもグズグズと悩んでいて、いい解決法も見つからないようです」

悩んでいるときには、いい解決法が見つからないのが普通だ。しかし、解決法はあっても、それは自分がやりたくないことだったりする。

「ああすればこうなるだろう。こうすればこうなるからイヤだ。あの道もイヤだ。この道もぴったりこない。ああ、どうすればいいのだ」

と悩み、身動きがとれなくなって、どんどん落ち込んでいく。

しかし、そこからが、こういう人の強みだというのである。いろいろな道を断って

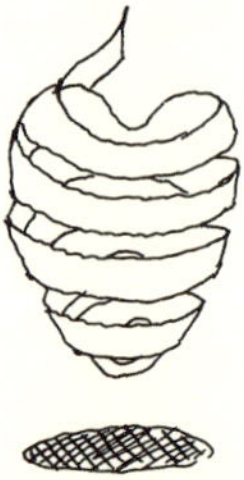

八方ふさがりになったときに、見えてくる道がある。それが本当に進むべき道だ。

何もかもなくしていったときに、「これだけは守りたい」と思うことがある。それが、あなたが人生で本当に大切にしたいものだ。たくさんのものを持っているときにはわからない。失ってみたとき、初めて自分が本当に欲しいものがわかるのだ。

それをつかんではい上がった人は強い。自分が本当に大切にしたいものをしっかり握って生きていけるのだから、迷いも少なくなるだろう。とことん迷った末に自分でつかんだ実感だ。今度迷ったときには、どちらを選べばいいかすぐにわかる。

反対に、「このへんでいいや」と中途半端にごまかしてしまった人は、いつまでたっても、本当に自分が欲しいものが何なのか、実感できないのではないだろうか。

しかし、かといって、部屋の中で悩みながら一歩も動かないのでは、それもまた、なかなか結論にいきつかない。やってみて「これはダメだった」、またやってみて「これもダメだった」と行動していくことは大切だ。

あなたは、人生でとことん悩んだ期間があるだろうか。もしもそんな機会がやってきたら、チャンス到来である。とことん悩んでみるといい。自分が人生に何を求めているのか、きっと見えてくるはずだ。

24
「なんだ、みんなもそうなんだ」――心が晴れるのは、こんなにもあっけない

自分の悩みは重大事項なのだが、他人の悩みというのは、「なんでそんなことで悩んでいるの？」と不思議に思うことがあるものだ。

ある男性は、自分が離婚経験者であることを心の負担に思っている。「自分は、一度、結婚に失敗した男であり、別れた妻と子供がいる」ということを、現在の彼女に対して申し訳なく思っている。彼女は自分よりずっと若く、他にもっといい男と結婚するチャンスがいくらでもあるように思える。本当におれでいいのだろうか。結婚してみて、〝やっぱり他の男にすればよかった〟と思うのではないか。彼女は平気な顔をしているが、実は、別れた妻と子を気にしているのではないか。

ところが、彼女と話をしてみれば、全然そんなことは気にしていないのである。今どき、バツイチの男なんて珍しくもないじゃない。友達だって、バツイチ男と結婚してる人、たくさんいるわよ、とケロッとしたものである。

結局、悩みというのは、本人のこだわりでしかない。この彼は、堅い家で育った。離婚といったら、人生の挫折者くらいに思っている。だから、そんな自分に勝手に負い目を感じている。

けれども、彼女のほうから見たら、離婚はちっとも悪いことではないらしい。つまり彼は、彼女に対して負い目を感じる必要はまったくないのだ。そう考えると、彼の悩みは現実的ではなく、空想・妄想ストーリーのようなものだ。自分で、その妄想の闇からぬけ出すしかあるまい。

さて、あなたも、こんな空想的悩みにおちいってはいないだろうか。現実に困ったことが起きてもいないのに、勝手にいろいろ予測して困ったり、相手の気持ちを推し量りすぎて悩んだりしていないだろうか。

自分の悩みを話してしまえば、それだけですっきりすることもある。

「なんだ、みんなもそうなのか」

「なんだ、みんなそんなこと気にしてなかったのか」

と雲が晴れるときもあるのだ。あまりひとりで悩みすぎず、誰かにぶつけてみよう。あなた独特のこだわりが見えてくれば、すっきり解消するだろう。

25

「人間なんてみんな無力」――この開き直りに前向き人生はやってくる

「自分は何もできない」「おれは無能な人間だ」「誰からも必要とされていない」

そんなふうに思うとき、人間はいちばん落ち込み、悩むのではないだろうか。ところが、そうやってもんもんとしている人にかぎって、とても人に好かれていたりする。誰よりも人から必要とされていたり、その人の一言が誰かの助けになっていたりする。

こんな問いを持ったことのない人もたくさんいるであろう。しかし、必要以上にそう考える人もいる。その人は、自分が「役にたっている」という実感がほしいから、一生懸命、他人につくす。「あなたのおかげだ」といってほしいので、一生懸命がんばる。そんな人だから、周囲の友人にも親切で、みんなに好かれている場合が多い。ところが本人は、やってもやっても、なかなかそう感じられないのが難点だ。

自分は無力である、というのは思い込みである。あなたを必要としている人は、たくさんいるはずだ。試しに誰かに聞いてみればいい。あなたのいいところをたくさんあげてくれるはずだ。

あるいは、「人間なんて、みんな無力なのだ」と思ってもいい。あなただけが無力なわけではない。どっちみち、誰だってそうたいしたことができるわけではない。あまり自分にたくさん期待しなくていい。無力でいいではないか。そんな無力なあなたを好きでいてくれる人がたくさんいるはずだ。

もしかしたらあなたは、無力では人に好かれないと思っているのかもしれない。何か大きく世の中に役にたたなければ、人に愛されないと思っているのかもしれない。しかし、それは大間違いである。他人は、あなたにそんなことを求めてはいない。たぶん、あなた自身が、他人にそれを求めているのだろう。

何もできなくたって、人間は十分、愛される。無力だってかまわない。そんなことにこだわるのは、もうやめよう。

26 悩みの原因が「過去」にあるなら、この〝作業〟をしてみよう

カルチャースクールで絵本を描いているある女性が、こんなことをいっていた。

「私は、子供の頃の自分にメッセージを送りたいのかもしれません。子供の頃の私に向かって絵本を描き続けている気がするのです」

また、ある女性は、児童文学を読んで、よく泣くのだそうだ。児童文学に出てくる子供たちは、両親が離婚したり、友達ができなかったり、家出したり、いろいろな危機におちいっている。そして、そんなとき、必ず理解ある大人が現れたり、素晴らしい友人ができたりして、みごとにハッピーエンドになる。彼女は、そんな物語を読んで、自分が救われたような気がするのだという。

あなたも、悩んだり落ち込んだりしたとき、ふと、子供の頃の自分を思い出すことがないだろうか。いろいろな悩みや心配ごと、捨ててしまえばいいようなこだわり。そんなものの原因は、子供の頃にできたことが多いのではないだろうか。

ある女性は、子供の頃に両親が離婚した。二人の争いや、すさまじいケンカは、とても恐ろしかったという。彼女は、三十歳を過ぎて、今も独身でいる。友人たちは、「両親の離婚は、あなたには関係ないのだ。いつまでも子供の頃の体験に縛られていないで、幸せになりなさい」

というが、頭ではわかっていても、実際にはなかなかうまくいかないのが世の常だ。

結局のところ、子供時代の自分を救ってやれるのは自分自身でしかない。子供の頃の自分にメッセージを送り、助けてやれるのは自分しかいないのだ。

「もしもあのとき、こんな大人がいてくれたら……」

あなたがそう思うような大人に、あなた自身がなってみよう。子供時代のあなたを助けられるような大人に、今のあなたがなってみよう。そうすれば、きっと子供時代のあなたが救われていくはずだ。

実際に子供を育てることでもいい。子供時代のあなたが何を感じていたかを思い出す作業でもいい。傷ついたままの子供のあなたを、自分自身でもう一度、育て直してみよう。きっと今の悩みが軽くなっていくのを感じるだろう。

27 不況になると守りに入る、守りに入るとますます不況になる

悩んでいる人間には、先が見えない。先が見えないから悩む。そこで、守りに入る。ところが、守りに入ると、ますます発展がなくなってくるものだ。

ある経営者が、テレビでこんなことをいっていた。

「リスクのないチャンスはない」

中国で天安門事件があったとき、日本企業は中国に対して腰がひけた。中国は、これからどうなるかわからない。今、中国に進出したら危ない、と思ったわけだ。

しかしそのとき、彼は、逆に中国へ進出して大成功をした。リスクが大きいほど、チャンスも大きい。みんなが中国への進出をやめたときに進出すれば、中国のマーケットをいち早く開拓し、独占できる。成功したときの利益は大きい、と読んだわけだ。

彼はこういう。

「バブルの時期には、みんな、ずっとバブルが続くと思っている。しかし、いつか必

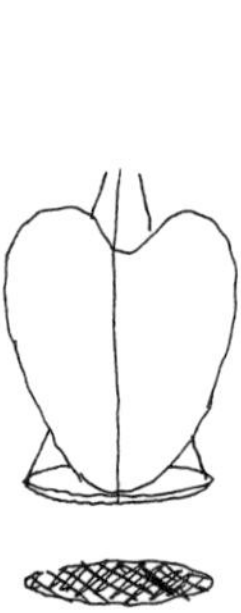

ず終わるのだ。そして、不況になると、今度は、ずっと不況が続くと思っている。これもいつかは必ず終わるのだ。だから私は、不況のときに投資をする」

聞いてみれば、確かになるほどと思う。今までの歴史をみても、世の中の流れは発展するときもあれば、縮小するときもある。しかし、実際に不況のときに、思いきった投資ができる勇気が普通はない。それをできる人間が成功するのだろう。

リスクを避けるなら、チャンスもない。あなたの悩みも「リスクなしでチャンスがほしい」という勝手な願いが原因ではないだろうか。もし、リスクがいやなら、チャンスが来ないことにも甘んじたほうがいい。本当にチャンスをつかみたいなら、リスクを背負う勇気を持とう。

また、〝いつまでもこの厳しい状況が続く〟ような気がして必要以上に暗くなるのは、もうやめよう。苦しい状況は、いつか必ず終わる。いつか状況は変化する。それは信じていていい。

だから、苦しいときこそ、守りに入らず、思いきった投資をしてみよう。失敗したっていい。失敗のない成功はない。何回かの失敗が、次の大きな成功につながるのである。

28 「80パーセント主義」で人生はここまで快調・快適！

こういう、原稿を書く仕事をしていると、つくづく「締切」というものの必要性を感じることがある。他の人はどうなのか知らないが、「締切がなかったら原稿なんか書かない」という人も多いのではないだろうか。いついつまで、と期限を区切らなかったら、いつまでも原稿が書き上がらないかもしれない。

特に、完璧主義の人ほどそうだろう。原稿を書いても、ここを直したくなったり、あそこを直したくなったり。満足いくまでとことん原稿を書き直そうと思ったら、いつまでたってもできはしない。しかし、ありがたいことに締切がある。

「しかたない。たいした原稿ではないが、今の実力ではこれしかできないのだ」と、区切りをつけることができる。私は人生八〇パーセント主義なので、一〇〇パーセントでなくてもよしとする。これが完璧主義者だったら、一〇〇パーセントを求めるあまりに、何ひとつできず、結果はゼロということになりかねない。それより、

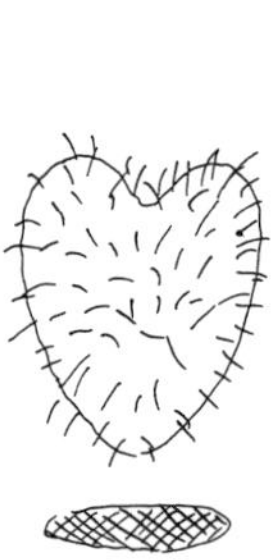

何十パーセントかでもいいから、少しずつ結果を積み重ねていくほうがいい。

これは、原稿にかぎらない。ものごとには何でも締切がある。締切を設定する必要がある。どんな仕事だって、「いつまでにこれを仕上げよう」と設定して進めていく。

もしもあなたに悩みごとがあるなら、「締切」を設定してみてはどうだろうか。完璧に解決することを期待して、いつまでもぐずぐずしていてもしかたがない。適当なところで妥協して行動することも必要だ。

ひとつのことを決断するのは、他の可能性を捨てることだから、こわい。しかし、一〇〇パーント欲張って、あぶはちとらずで結果がゼロになるより、何かを選び取っていったほうがよいではないか。

「ここまでに結論を出す」

とはっきり決めてみてはどうだろうか。悩む時間を区切ることも大切だ。例えば、限定一時間だけ悩んで、あとは考えないようにする。悩みの締切を設定するのである。

人生には、はっきりと締切がある。人によって寿命は違うが、いつか締切がくる。それまでに充実して生きるために、細かい締切を設定して、行動していこうではないか。

29 つねに「代替案」を持っているのが元気を出すのがうまい人

「このおもちゃが欲しい」

といって泣いている子供は、それしか頭にない。おかあさんが、

「それはあなたにはまだ早いから、もっと大きくなってからにしなさい」

といっても、そんなことは頭にない。ただひたすら、そのおもちゃが欲しくて、それが手に入らないことを泣きわめくだけである。

「この間、おもちゃを買ってあげたでしょう。そんなに何もかも買ってあげられませんよ。クリスマスまで待ちなさい」

といわれても、納得できない。子供は、今、そのおもちゃが欲しいのである。クリスマスまで我慢できないのだ。あなたは、そんな子供と同じになっていないだろうか。

あなたが欲しいものは、今は手に入らないかもしれない。そのとき、子供と同じように泣きわめくだけではなく、なぜ手に入らないのかを考えてみよう。

きっと、いろいろな理由があるはずだ。お金がなかったり、それだけの力がなかったり、環境が整っていなかったり、時期が早かったり。それでは、いつになればあなたの欲しいおもちゃが手に入るか、どうすれば手に入るかを考えてみよう。

「来年になれば、状況が変わってくるだろうから、それまでに英語を勉強しておこう」

「まずは人脈づくりをして、やりたいことを実行に移せる状況をつくってみよう」

などの方法を見つけることだ。子供に、

「クリスマスには買ってあげますよ」

「自分でおこづかいをためなさい」

とアドバイスするのと同じで、自分にアドバイスをしてやるのだ。

いちばんいいのは、代替案を考えることだ。あなたが本当に欲しいものが、今、手に入らなくても、その代わりのものはないだろうか。今、実現するのが無理なことばかり考えて挫折感を味わうより、今、実現できることをやって充実感を味わおう。

その充実感が心のこやしになって、もっと先のことを考える気力につながるだろう。そのうちにきっと、あなたの欲しかったものを手に入れられるときがやってくるに違いない。そのための努力は忘れずにすることだ。

30 あなたが〝本当に欲しいもの〟、いますぐ言えますか？

さて、前項とは反対に、自分が何を欲しいのかわからないという悩みもある。

「このおもちゃが欲しい！」

という子供なら、それを手に入れる方法を具体的に考えられる。しかし、「どれが欲しいの？」と聞いても、「わからない」という子供では、計画もたてられない。

しかし、現代では、こういう人間が多いのではないだろうか。

「ハングリー精神」という言葉がある。貧乏な家庭で育った少年が、「絶対、金持ちになってやる！」と努力して、成功する。何か強烈に欠けているものがあると、猛烈にそれが欲しくなる。自分が欲しいものが、はっきりする。

ところが、今は、いろいろなことに恵まれている。何かが自分に欠けているような気がしながらも、何が欠けているのかよくわからない。それが何なのか見きわめようと悩んでいる人は多いのではないだろうか。

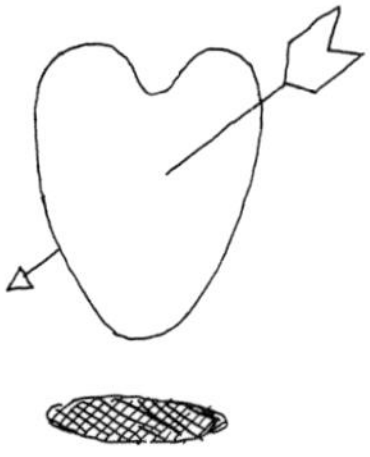

人間には、がんばる理由が必要だ。がんばる理由もないのにがんばる人はいない。しかし、おざなりにつくった理由では、やはり人間は動かない。人から与えられた目標ではそれほどがんばれない。自分の中から「どうしてもこれが欲しい」と、わきあがるものがなければ、情熱を傾け、充実することはないだろう。

情熱を傾けられる対象に、たまたま出会えた人は幸運だ。しかし、まだ出会えずにいきづまっている人も、幸運だ。なぜなら、いきづまればいきづまるほど、自分が本当は何が欲しいのか、はっきりわかるからだ。

欲しいおもちゃがないのなら、その間、何も買ってもらわず、お金をためておこう。情熱を傾ける対象がないなら、じっくり休んで、その間、エネルギーをためておこう。そのうちに、何かに出会うはずだ。自分の中から何かがわきあがってくるはずだ。

他人が周囲でごちゃごちゃいっても、聞かないほうがいい。他人が考えてくれた目標など、あなたの役にはたたない。欲しいものがないなら、いつまで怠けていたっていい。そんな人が目を覚まして本当に欲しいものを見つけるときは、きっと誰にも手の届かない、すばらしい宝物を探し当てたときではないだろうか。

31

なぜ、この電話やメールの一本がなかなか入れられないのか

事実を確かめるのがこわいので、その〝代用〟として悩むことを使っている場合がある。例えば、知り合いの編集者は、執筆を依頼するときに、著者の先生に電話やメールの一本をするのが、なかなかできないという。

「先日お送りした企画書、ご検討いただけたでしょうか」

やるべきことは、電話やメールをして、確認するだけである。相手がＯＫするか、断られるか。結果はふたつにひとつだ。ところが、連絡をして、もしも断られたらどうしよう。今からまた企画を立て直すのはたいへんだ。締切にも間に合わない。断られたとき、他の先生にお願いできるだろうか。他の先生にも断られたらどうしよう、などと考えて、なかなか連絡ができないのだという。断られたときの心配ばかり浮かんでしまい、結果を聞くのがこわくて、その代わりに悩む。

また、自分でもそれがわかっている。ダメならダメで、次の対策を練る必要がある。

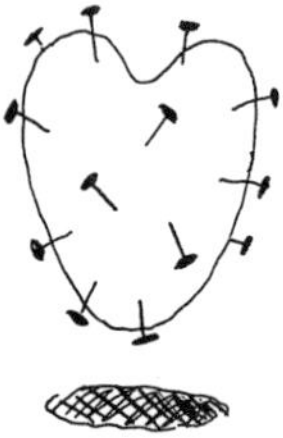

先延ばしは、自分で自分の首をしめているようなものだ。

しかし、それができない。それはひとえに「度胸がないのだ」と彼はいう。確かに、悩み深い人というのは、度胸のない人が多い。悪い結果を受けとめる度胸がないので、くよくよする。

しかし、こういう繊細な人は、くよくよすることも大切なのである。人間がどんなときに大きなショックを受けるかというと、まったく心の準備ができていなかったときである。予想外の不幸に見舞われたとき、人間は回復しがたい傷を負う。

例えば、八十歳の親が病気で長く患って死んだときより、五歳の子供を突然、交通事故で亡くしたときのほうが、悲しみがより深いだろう。心の準備ができていないからだ。

繊細な人間は、悪い結果を心配することで、もしも本当に悪い結果になった場合の心の準備をしているといえる。楽天的に信じていたことが突然ダメになってしまったら、ショックが大きい。何の代替案も考えられないほど立ち直れなくなってしまうかもしれない。だから、あらかじめくよくよしておくのも、それはそれで有効な方法なのだ。そう自分をなぐさめながら、事実を確かめる行動に移そう。

32
「自分が欠けている気持ち」を「他人の気持ち」で補う方法

くよくよ性の人のいいところは、心の準備がいいことである。悪い想像力を持っていることである。せっかくそんな能力を持っているのだから、「くよくよしない性格になりたい」と悩むより、その性格を積極的に活用することを考えるといい。

例えば、全然くよくよしない人がいる。元来が楽天的なので、「なんとかなるさ」と考えている。ところが、実際には、なんともならないこともある。いろいろ心配して準備しておいたほうがいいこともある。しかし、楽天人間は、何も準備していない。いざ、その場になってからあわてたり、にっちもさっちもいかなくなったりする。

くよくよ性の人が組んでいれば、足して二で割ってちょうどいいくらいだろう。くよくよ性の人は、楽天人間に、「だいじょうぶだよ、なんとかなるさ」といわれて安心する。楽天人間は、くよくよ性の人に、「でも、あれだけは準備しておいたほうがいいんじゃないか」といわれて、はたと気づく。考える前に行動してしまう人と、行

動する前に考える人間が組めば、ちょうどいいわけだ。

ただ、この場合、どうもくよくよ性の人に負担がかかって、迷惑に思うことも多いかもしれない。なぜなら、楽天人間は考えなしに動くので、くよくよ性の人のほうがどうしてもフォローに回ることになる。

しかも、楽天人間は、くよくよ性の人に迷惑をかけても「申し訳ない」「私が悪かった」という気持ちに欠ける。そんな気持ちがないから、楽天的にやっていけるのだ。平気な顔をして、一言もあやまらなかったりするので、くよくよ性の人は頭にくる。

こうして二人が別々に仕事をしていると、楽天人間はいつもポカをやり、くよくよ性の人はいつも先延ばしにして心配ばかりしていることになる。

あなたがどちらの人間かわからないが、なるべくなら、反対のタイプと組んでみるといい。きっと、ためになる。そのときのコツは、相手のよさを認め、口に出していうことだ。すると相手も、自分にはない、あなたのよさを認めてくれるだろう。

お互いの欠けているところが、お互いの得意なところなのだから、活用しない手はない。しかし、これがいちばん難しいことでもある。それができれば、あなたは飛躍的に発展するはずなのだが。

33 この〝いい循環〟をあなたはものにできますか

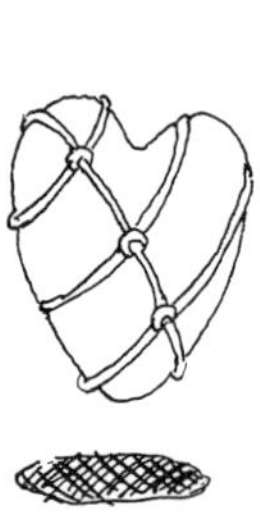

くよくよ性の人を見ていると、実によく失敗例を知っている。悪いほうへ、悪いほうへと想像する能力が高いので、その信念にしたがって失敗例ばかり収集してしまったのか。それとも、失敗例ばかり見ているので、悪いほうへ、悪いほうへと考える想像力が発達してしまったのか。どちらにしても、とにかく失敗例をよく知っている。

「こうすればいいんじゃないか」

「それはこういうデメリットがあって、○○がこうしたとき、こう失敗したんだよ」

「それじゃ、こうしたらどうだ」

「それは、こうこうこういう理由で、失敗した前例があるんだ」

という具合だ。

失敗例をよく知っているというのも、大切なことだ。同じ失敗をくりかえすほど、ばかなことはない。しかし、成功例を知らないのでは、いくら失敗例をよく知っていても意味がない。「これはダメだ」ということばかりわかっても、「これならいける」という案がたてられない。

そこで、失敗例をたくさん知っている人には、同じ数くらいの成功例を集めることをお勧めする。世の中には、成功した人もたくさんいる。社内の例でも、成功した企画だってたくさんあるに違いない。

あなたが失敗例の分析にそそいだ熱意をもってして、成功例の分析に取り組んでみよう。賢いあなたのことだから、きっと、成功の法則が見えてくるだろう。失敗の法則と、成功の法則と、両方見えてくれば鬼に金棒だ。

もうひとついっておこう。失敗例も成功例も、過去のことだ。今回も同じになるとはかぎらない。そのやりかたで九十九回失敗したからといって、その次も失敗するかどうかはわからない。そこが世の中のおもしろいところである。人間の心も、環境も変わる。今までダメだったことが、急にヒットすることもあるのだ。

例を集めて分析するのはいいが、あまりそれにこだわりすぎないことだ。ときには思いきって、カンとひらめきで行動することも大切だ。実例の収集と、ひらめき――これがそろったときが、ものごとが本当にうまく運ぶケースなのである。

34

「守備範囲以外」のことで悩むのもたまにはいい

悩みの中にも、悩んでしかたのあることと、しかたのないことがある。

しかし、自分にはどうしようもないことを真剣に悩んでしまう人が多い。

こういう場合、その人には、他に悩みのタネがあるのだ。それは、自分の問題だ。

しかし、その問題に取り組むのはとてもつらいことなので、しかたのないことについて悩む。つまり、自分の問題から逃げて、守備範囲外のことに心を砕く。なぜなら、守備範囲外のことなら、比較的安心して悩めるからである。

例えば、他人の家の親子関係がうまくいっていないことをとても心配し、いろいろなおせっかいをやく人がいる。親身になって世話をしてくれるという点では、いい人に違いない。

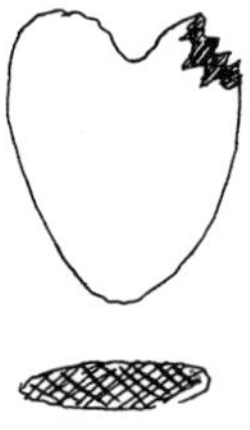

しかし、本当はその人本人の親子関係に問題がある場合が多い。その人自身が、親子関係で傷ついている。自分を癒《いや》したいのだが、どうしたらいいかわからない。自分

のことを真正面から見つめるのはつらいし、難しいことなのだ。そこで、他人の問題にすり替える。他人の親子関係について一生懸命に考え、他人の親子関係を直してみようとがんばるわけだ。

それでは、守備範囲外のことで悩まないほうがいいかというと、そうでもない。最初は他人の問題だと思って関わっているうちに、実は自分の問題だとわかってくることもある。

また、安心して悩んでいるうちに、自分のことに直面する勇気が出てくる場合もある。他人を癒そうとしているうちに、いつのまにか自分が癒されている場合もある。

とっかかりは、何でもいいのだ。下手に、「そんなことは、あなたの問題じゃありませんよ」というアドバイスに従うと、自分の問題にたどりつくのに遠回りになってしまうこともある。もし、自分の守備範囲外のことなのに気になってしかたのないことがあるなら、ぜひよけいな心配をどんどんしてみる。そこにはきっと、あなたに関する何かの鍵がある。守備範囲外の心配は、その鍵を見つけるためと心得よう。

「こんな心配をしているのは、本当は他人のためではなくて自分のためなのだ」

と自覚していれば、よけいなおせっかいで事態をややこしくすることもないはずだ。

35

こんな〝過保護〟なアドバイスにまどわされないこと

ある女性が山道を歩いていると、「まむしに注意！」という立て札が立っていたそうだ。ところが彼女は、どんなふうに注意すればいいのかわからなかった。

まむしが出たら、どうすればいいのか。脅したほうがいいのか、じっとしていたほうがいいのか。もしもかまれてしまったら、どうすればいいのだ。そんなことを考えていたら恐ろしくて、山道を歩いているあいだ、ずっと冷や汗を流しながら、「まむしが出ませんように」と祈っていたそうだ。

この立て札のおかげで、周囲をよく見るという注意はできたし、ヘビらしきものが出たら、近寄らないように注意することもできただろう。その立て札はまったく意味のないものではなかったと思う。

しかし、もっといいのは、どう注意すればいいのか、一言書いてくれることだ。

同じようなことだが、北海道の山で、「熊に注意！」という立て札を見たことがあ

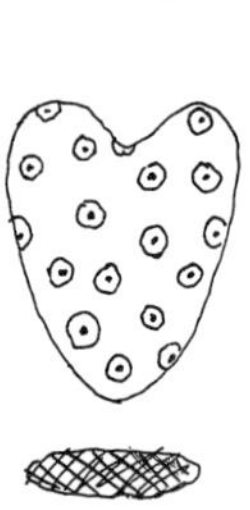

る。しかし、そこにはきちんと、「熊が出たらどうすればいいか」まで書かれていた。「音を鳴らしながら集団で歩いていると近寄ってこない」とか、「もしも出会ってしまった場合は、持ち物を少しずつ落として逃げろ」というふうにだ。普通の人は、熊への対処法を知らないのだから、これはたいへん現実的で役に立つ注意だ。

反対に、無意味な注意もある。岸壁に、「落ちるな、注意！」と書いてあるようなものだ。そんなことは見ればわかる。子供だって注意する。何のためにあのような立て札が立っているのか、さっぱりわからない。

少し話がズレてしまったが、とにかく注意のしかたは重要である。

むやみと他人に注意して、いたずらに恐怖心をあおっても、対処法がわからないのではしかたがない。山道で百科事典をひいて、まむしについて調べるわけにもいかない。それくらいなら、まむしが出ることなんか知らないほうが楽しく山道を歩けたのに、ということになりかねない。

かといって、「落ちるな、注意！」のように、何でもかんでも過保護的に教えてやればいいというものでもない。

注意のしかたには注意が必要だ。

36

ちょっと待った！ 実は、その悩みはすでに解消されていないか

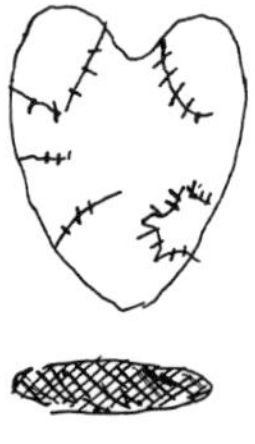

あなたも、むやみな注意を信じ込んで、いたずらに心配していることはないだろうか。例えば親に、「二度あることは三度ある」と教え込まれたとする。

さて、あなたは、おととい、道を歩いていて、そばを通った車に水をひっかけられた。そしてなんと、きのうも同じことが起こった。するとあなたは、今日はいつひっかけられるかと不安でならない。しかし、三度目を防ぐ方法は教えてもらっていない。なぜなら、そんな方法はない。

二度あったことは、もう変えようがない。

二度あっただけで、次が起こる心配をしてもしかたないのである。しかし、あなたの心の中にはいつまでも、「二度あることは三度ある」という立て札が立っている。

小さい頃、親に教え込まれたことは絶大な力を持つものだ。心の立て札の書き換えは、そう簡単なものではない。しかし、〝なんでおれは、こんなこと思ってるんだろ

うか〟と気づけばしめたものである。

ある女性は、小さい頃、友人の話を家でするると、必ず、

「それはどこの子だい？」

と聞かれたという。親は、「○○町の三河屋の息子」とか「駅前のクリーニング屋の娘」という答えを聞きたいのである。しかし彼女にとっては、その子はただの「○○くん」であって、どこの子なのかよくわからなかった。

さてそのうち、彼女も社会人になった。あるとき、実家で弟の話を聞いているとき、

「それ、どこの子？」

と思わず聞こうとしている自分に気がついた。しかし彼女は、どこの子か答えを聞いてもわからない。つまり、まったく意味のない質問をしようとしていたのである。

親のしていた行動を無意識にやっていることは、本当によくある。しかし、それに気づくと、やらなくなることも多い。あなたが悩んでいることの中には、現実的でないことや、すでに意味のないことがないだろうか。それは、誰かに吹き込まれたものではないだろうか。試しにちょっと点検してみると、そのばかばかしい信念がくずれていくこともあるので、ぜひやってみてほしい。

37 〝平均〟にとらわれないことほど、素敵な「生きかた習慣」はない！

アンケートをとって、「平均」を出すという方法がある。どれくらいの人が携帯電話を持っているか。日本人の平均身長は、平均勤務時間は、などなど。自分が「平均」であるかどうか、気になる人もいるだろう。

「こんなにみんなが携帯電話を持っているのなら、おれもやっぱり持ったほうがいいんじゃないか」

「おれは、このたった一〇パーセントの『NO』のほうに入っているのか。おれって異常なんだろうか」

しかし、「平均像」など、実はどこにも存在しない。あなたの周囲を見回してみてほしい。〝この人こそ平均で、普通の人だ〟と思える「平均氏」がいるだろうか。

たぶん、いないはずだ。みんなどこか変わっている。どこか癖がある。どこかでっぱっていて、どこかひっこんでいる。何もかも平均の人など、ひとりもいないだろう。

統計というのは、ひとつの目安である。平均というのは、デコボコをならした没個性のものである。あくまで数字の上だけで、現実のものではない。

だから、誰かが「普通はこうだぜ」「たいていこうするもんだよ」といっても、必要以上に気にすることはないのだ。例えば、「そんなの、斎藤茂太がそういってるだけじゃないか」とおおらかに思えばよい。実際、そうなのだ。私がいっていることなど、私の考えであって、平均でもないし、絶対的に正しいことでも何でもない。

平均にこだわるのは、情報化時代の弊害のひとつともいえる。情報があふれていて、どれもこれも知らないと、自分が後れているように感じる。ある営業マンの男性が、「昔は、日本のプロ野球さえ見ていれば野球好きのお客さんと話ができた。今はメジャーリーグもチェックしなくちゃならない。時間もかかるよ」

と嘆いていた。彼はスポーツ好きなので、これは半分冗談なのだろうが。

しかし、確かに、平均的に生きようと思うと、そのために膨大な時間を費やすことになる。平均の話題についていこうと思うと、それだけで一日が終わってまう。自分が何をやっているのかさっぱりわからないうちに忙しく毎日が過ぎていってしまう。

平均なんか、放っておいたほうがいいと私は思うのだ。

38 「勝手にしやがれ」が心の健康を保つ秘訣

学校教育というものは、もともと没個性を目指しているものなのかもしれない。しかし、最近の学校問題のゆがみは、この没個性教育の弊害が大きいのではないか。前髪は何センチと決めてみたり、スカート丈をものさしではかってみたり。何でもかんでも同じにして、はみ出ないようにするのが教育とばかりにやってきた。

いじめで自殺した子供がニュースで話題になり、テレビ番組でいじめ問題を取り上げる。「なぜ、いじめるのか」という質問に、子供たちが、「だって、あいつ、変なんだもん」と答える。「変わっている」ことが、いじめる理由になるのだ。「同じ」でなければいけないのだ。考えてみれば、大人たちがそう教育してきたのだから、子供が「変わっているのはいけないことだ」と思うのは当たり前ではないだろうか。

私は最近、「こういうのは異常なんでしょうか、正常でしょうか」と質問されることが多く、非常に不愉快に感じる。

何を指して「正常」「異常」と決めようとしているのか。人間を判断しようとし、自分ではそのものさしを持たないので、何かの権威に判断してもらおうとする。偏差値を信仰したり、統計を信仰したり、偉い先生のいうことを信仰したりする。

正常か異常かというなら、歴史上の天才など、みな異常ではないか。誰もかれもを平均的な人間にしつけてしまったら、天才など現れないだろう。変わっているところは変わったまま、長所として生かせるように伸ばせばいいではないか。変わっていることを悩む必要など、まったくないのだ。

ある落語家が、「どんなふうに生きてきたのですか」の質問に、「わたしはねえ、『勝手にしやがれ』という気持ちで生きてきました」といった。これはいい言葉だ。以来私は、「勝手にしやがれ」を心の中に置いている。

あれがいけない、これが正しいと白黒で決めつけようとする人に反発を感じると、心の中で「勝手にしやがれ」と叫ぶ。

これが、どんなに私の健康のために役立ったことか。平均像など、あれこれうるさくあなたを矯正しようとしてくる人など、勝手にしやがれ。迷ったときにはぜひ、この一言を心につぶやいてほしい。自分の個性を貫く勇気がわいてくるだろう。

39 上司の小言を「天使の声」だと思うトレーニング

古い話だが、戦後すぐの頃、焼け出されたあとにやっと見つけた狭い家にたくさんの家族がぎゅうぎゅうづめに住んでいたとき、生後間もない長男が毎晩のように夜泣きをした。われわれ夫婦だけでなく、他の家族にも聞こえてしまうし、私もほとほとまいったものである。

そのとき、東北に疎開中の父に手紙を出した。報告のつもりで、子供の夜泣きのことを書くと、父から返事があって、「夜泣きは天使の声と心得るべし」と書いてあった。

この父の一言こそ、私には天使の声だった。子供は泣くのをやめないが、「天使の声、天使の声」と思えば、いくぶんかは気が楽になったのである。

さて、あなたも「うるさいなあ」と思うことがあったら「天使の声」と思ってみてはどうだろうか。例えば飲み屋で上司の昔の自慢話や、毎度おなじみの説教を聞かなければならないとき、「これは天使の声だ、天界の音楽だ」と思って聞き流す。子供の夜泣きほどにはかわいくもないかもしれないが、要は、ものの考えかたである。

イヤだ、イヤだ、ああ聞きたくないと思っているよりは、どんなに気が楽か。それに、上司のお小言は、本当に天使の声である場合も多い。

「どうしていつもこうなってしまうんだ。もう少し早く準備しておけなかったのかね。だいたいキミはいつもそうだ。この間の○○の件だって……」

と始まった。あなたは心の中で「はいはい、わかってますよ」といいたいかもしれない。あるいは、上司のいうことなど半分も聞いていないかもしれない。

しかし、上司の説教の中にも、一面、事実が含まれているはずだ。今のあなたに足りないことを、上司の口を通して天使が教えてくれているのかもしれない。とても天使の声とは思えないようなダミ声であっても、まあ、ちょっと耳を傾けてみよう。上司の顔が天使に見えるくらいになれば、あなたも達人だ。

あまり上司の顔をジッと見つめると、どうしても天使には見えないという人は、後ろから目をつむって考えてみるのもいいかもしれない。

40 上司のこんな愚行は、部下のかっこうのお手本である

子は親を見て育つという。口でいくらりっぱなことをいっても、子供は親の行動を真似する。ちゃんと道徳を教えたつもりでも、子供は親の不道徳な行動のほうをコピーしたりするからこわいものだ。

上司と部下の関係も似たようなものではないか。上司がいくらりっぱなことをいっても、部下は、見るところはちゃんと見ている。りっぱなことをいえばいうほど、

「あんなこといって、自分だってそうじゃないか」

と上司をバカにするようになる。自分ができないことを、あまり偉そうにいうのも考えものである。しかし、それでは上司はいつもいつも完璧でなければならないのか。いつも部下のお手本となるようなりっぱな態度を示していなければならないのか。そんなことは無理に決まっている。

「反面教師」という言葉がある。部下も、もう大人なのだから、自分で見て、自分で

判断するだろう。賢い部下ほどそうである。あなたが上司なら、よいところも悪いところも、下手に隠そうとせず、そのまま見せてしまえばよい。そんな潔い上司には、きっといい部下がついてくるはずだ。

だいたい、りっぱな説教をする上司にろくなのはいない。説教して部下にものを教えた気になっているのはカン違いもはなはだしい。

言葉で教えるのは、ほとんどが自己満足なのだ。言葉だけなら何とでもいえるので、ついつい気持ちよくなってペラペラとしゃべり、陶酔してしまう。

しかし、その中には必ず嘘が混じる。話したことを教訓的にまとめようとすると、どうしても嘘が混じってくる。部下は、その嘘を見ぬいている。そして、口先だけの説教は、しゃべればしゃべるほど効果を失う。同じことのくりかえしになるので、相手も聞かなくなるからだ。一言の重みが失われていくのである。

弱い犬ほどよくほえる、という。弱い上司ほど饒舌《じょうぜつ》ではないか。態度でしめせない、行動で部下がついてこないから、口先だけでごまかそうとする。自信のなさをペラペラしゃべることで補ってはいないか。まず、自分の弱みを認めてしまおう。そうすれば、部下との信頼関係がグッと深まるはずである。

41 役割分担の〝徹底〟が心の風通しをよくする

親子関係は、飛行場のコントロールタワーと飛行機の関係のようだ。そして、上司と部下の関係も似たようなものではないだろうか。

実際に現場で仕事をしているのは部下だ。しかし、上司というコントロールタワーからの適切な情報と指示が必要だ。それがなければ安全な飛行ができない。

しかし、注意したいのは、コントロールタワーが口を出しすぎてしまうことである。あくまで飛行機を操縦しているのはパイロットだ。コントロールタワーは、高度や方向など大局的な情報をキャッチして伝えるのが役目である。「ああ飛べ」「こう行け」「そのボタンを押せ」と細かい命令までしてしまったら、かえって危ない。

現実に、今の飛行機の状態を把握しているのはパイロットなのに、コントロールタワーからのよけいな指示で、かえって判断を誤る場合だってある。

かといって、全然指示を出さないのがいいわけでは、もちろんない。コントロール

タワーは、それぞれの飛行機からの情報をキャッチして、全体の状況をつかむという役目がある。要は、お互いが、お互いの役目をきちんと果たすことが大切なのである。

ものごとがスムーズに進むためには、それぞれが自分の職分をわきまえたうえでチームワークを組むことが必要だ。コントロールタワーはその役目を果たして、操縦までしようとしないほうがいい。そうすれば、チームワークがうまくいくはずだ。

しかし、現場で仕事のよくデキた人間ほど、上司になっても、つい操縦したくなってしまう。部下のやることが見ていられなくて、いろいろ口出ししてしまう。これが上下関係のこじれるもとだ。もしもあなたがそんな上司だったら、早くコントロールタワーの仕事を覚えてほしい。

部下が無能だ、部下が働かない、部下がおれの考えていることをちっともわかってくれない。そう思ってイライラしているあなたにはこう考えてほしい。

「部下の飛びかたをひとつ拝見しよう。もしも進路が間違って変な場所に飛んでしまったら、自分で反省するだろう。けれども、大事故が起こる前に防ぐのは上司の役目だ」

あなたはいつも、全体を見ることを心がけてみよう。

42 恋に悩むあなたへ——いい「心のクッション」もっていますか

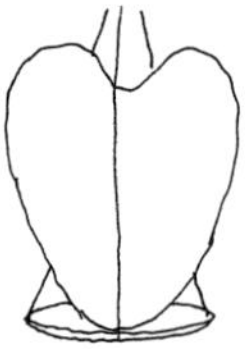

ある女性が自分の恋について、こう話していた。つきあう人ができると、スペアの男性を必ずつくる。ふたまたをかけるのである。なぜなら、その人にふられたときがこわい。失恋のショックを和らげるクッションを用意しておくわけだ。

この話を聞いて、「なんたること」と思う人がいるかもしれない。しかし私は、案外、人間というのは、多かれ少なかれ、無意識にこういうことをやっているのではないかと思う。

失恋の不安は、誰にでもある。恋愛にかけるエネルギーというのは、相当に大きいものだ。そのエネルギーが行き場を失ったときは本当につらい。誰だって失恋なんかしたくないのだ。キープだのスペアだのと、いろいろなボーイフレンドをつくる女性が最近は多いようだが、きっと、本当に好きになって傷つくのがこわいのだろう。

その気持ちはわかるが、やはり自分のショックのクッションのために、他の男性をキープしておくのは賛成できない。その男性だって、モノではない。他の人間を自分の道具のように使う人は、いつか自分もそんなふうに使われてもしかたがないのではないだろうか。自分がごまかしの恋をしているとわかっているのはけっこうだが、ごまかしはやはりごまかしなのだ。

他の男性をキープしたり、女性をふたまたかけるより、失恋したとき、あなたをなぐさめ、クッションになってくれる同性の友達はいないのだろうか。同性の友達と酒でも飲んで失恋を癒《いや》そう。いい友達がいれば、それが精神的な支えになって、思いきって恋の相手にぶつかっていく勇気もわいてくるはずだ。

不幸のあとには必ず幸福がやってくる。幸福にひたりきっている人や、不幸にひたりきっている人には、そのことがわからない。いつまでもその幸福が続くと思っていたり、いつまでもその不幸が続くと思っている。

失恋をしたって、いつまでもその不幸が続くわけではない。きっとそのあとにはすばらしい恋がやってくる。大失恋をすれば、そのあとにはきっと、すばらしい幸せが待っているに違いないのだ。

そう信じてほしい。そう思えば、心のクッションになるだろう。

43

出会いのチャンスの多さは「いい出会い」の必要条件ではない

私の結婚は恋愛結婚ではなかったが、私の青年時代には、恋も命がけという風潮があった。当時は今ほど恋愛結婚が多くなかったので、親の許しを得てからでないと結婚できなかったという事情もあった。そんな時代の私から見ると、今どきの若い人たちの恋愛風潮には驚くことがある。複数のボーイフレンドを持つのは悪いことではない。ひとりだけの男性しか知らないより、男性を見る目も養われるだろう。

けれども、選択肢が多ければ多いほど幸せかというと、そうでもない。あまり選択肢が多いと、かえって自分が何を欲しいのかわからなくなってしまう。

そして、たったひとりの愛する男性を見つけられないさみしさから、次から次へと〝とりあえず〟交際しているのではないだろうか。

それだけ現代は強烈な孤独感が特徴の時代なのだろう。しかし、孤独感に負けて、適当な異性とつきあってみても、決して癒《いや》されないのではないだろうか。

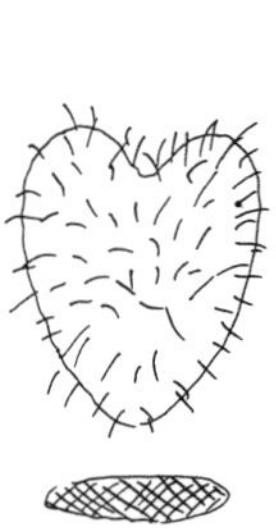

『ビジネスマンの父より息子への30通の手紙』を書いたキングスレイ・ウォードもこういっている。

「今日の若者の結婚に対する姿勢は、一般に無造作すぎるように思われる。『うまくいかなかったら、別れればいい』という言葉を聞くことがあまりにも多い。世の中には、ただ一度のチャンスをつかまえて結婚をものにしてしまう人びとがある。こうして始まる最高に幸福な結婚も少なくない。なぜか？　そのような結びつきはたいてい、互いに思いやりがあるだけでなく、必ず成功させようという固い決意があるからだ」

もしもあなたが今、孤独なら、この言葉を思い出してほしい。孤独感を適当なつきあいでごまかさずに、たっぷりとさみしさを味わったあとには、きっと、最高に幸福な恋が待っている。この恋を大切にしようという気持ちが生まれ、思いやりと固い決意を持って、その恋に向かえるだろう。

チャンスが多いことは、必ずしもいい出会いにめぐりあう必要条件ではない。たったひとつのチャンスをつかまえればいいのだから。

選択肢が少ないあなたは「あれもこれもいい」ではなく、本当に自分の欲しいものがわかる人だろう。きっと、ひとつの恋を大切に育てていけるはずだ。

44

〝頭だけで生きている〟人に本当の恋はやってこない！

今、つらい恋をしている人や、手痛い失恋をしたばかりの人、恋がうまくいかなくて悩んでいる人もいるだろう。そんな人に、私はこういいたい。恋愛をした経験は全て、よかれあしかれ自分の人生に返ってくる。自分の人生の糧《かて》になるのだ。

人間は、さまざまな経験をしながら成長していく。そのひとつに恋がある。子供は自分のための愛しか求めないが、大人になると他人を愛する喜びを知る。恋をして、ふたりの関係をつくりながら、他人を理解し、他人を愛することを学ぶ。

恋は、人間関係を学ぶにはいちばんのレッスンといってもよいだろう。考えてもみてほしい。自分と違う生き方をしている他人を理解し、許すのはたいへんなことだ。

憎らしい上司や生意気な部下を相手にしていると、理解しよう、と思ったそばから腹がたって、「あいつが悪い」となってしまう。イヤなやつと思えば、すぐに遠ざけたりする。しかし、恋は違う。「なんでこの人はこうわがままなんだ」と腹がたって

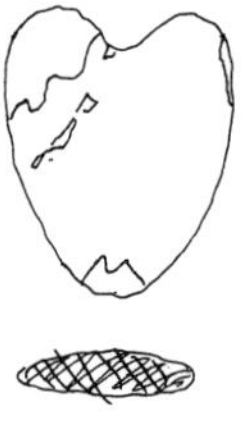

も、それを乗り越える愛がある。上司を相手にやっていたのでは百年たっても理解できないことが、たった三か月で許せてしまうのが恋愛ではないだろうか。

愛は情緒を成長させる。心理学者の加藤諦三さんはこういっている。

「人間が精神的に成長するためには、愛されることが必要である。肉体の成長には酸素が必要なように、情緒の成熟には愛が必要である」

もしも恋をしなければ、喜びも知らず、悲しみも知らず、頭だけで生きているような底の浅い人間になってしまうだろう。あなたが恋に悩んでいるなら、きっとその経験はあなたを、より魅力的な人間に成長させてくれるだろう。

芸人の世界でも「恋は芸のこやし」という。恋愛経験が情緒の幅を広げ、人間として表現できるものの幅が広がる。恋はそれだけ貴重なものなのだ。

といって、誰かれかまわずつきあってみたからといって、成長するものでもない。あくまでも「愛する」ことが大事なのだ。自分の気持ちが関わっていなくては、喜びも悲しみも中途半端で、情緒も成長しない。

中途半端ではない本当の恋をする機会は簡単に訪れない。そして、そんな恋が訪れたのなら、そのチャンスを本当に大切にしてほしい。

45

モテないあなた、こんなすがすがしい考え方をしてみませんか？

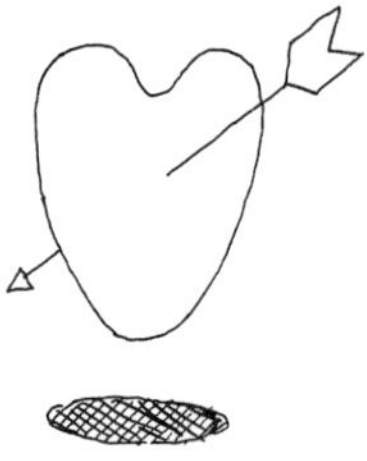

今の時代、彼氏や彼女がいるのが当たり前。恋人がいないとどこかおかしいとか、よほどモテないように思われることもあるらしい。

雑誌などでは盛んに恋愛特集を組み、女性はこんなプレゼントが好きだとか、こんなところでデートするのがおしゃれだとかやっている。いろいろなマニュアルがあって、それにはずれたことをやる男は、ばかにされてモテないらしい。

女性をスマートにエスコートできる男は、どんどんモテて、そうでない不器用な男はちっとも恋愛のチャンスがない。チャンスがないので、ますます男女の交際が下手になり、自信をなくして引っ込み思案になる。こんな悪循環になっているのではないだろうか。

私は、恋人がいなくても、別に恥ずかしいことではないと思う。ある女性が、「私は今、彼がいないけど、特に好きでもない人とデートするくらいなら、家で本でも読んでたほうがいい。本当に好きな人とだけデートしたい」

といっていた。とりあえず誰でもいいからボーイフレンドがほしいという女性より、私にはすがすがしく思えた。

しかし、かといって、家で本ばかり読んでいたのでは恋のチャンスも訪れない。ステキな人に出会うチャンスを求めて、人の集まるところに顔を出す努力は必要だ。

ガールフレンドやボーイフレンドのひとりもいないと、異性に対して劣等感が強くなってしまう場合がある。「対人恐怖」の一種だ。

「もしも冷たくあしらわれてしまったらどうしよう」「断られたらどうしよう」という不安で、つい引っ込み思案になってしまう。こうした対人恐怖の心理は、プライドとセットになっている。プライドが高すぎる人は、恋に積極的になれないのだ。

ただし、安心してほしい。プライドと劣等感は、誰もがセットで持っている。相手も劣等感とプライドの間を揺れ動いている普通の人間なのである。自分が好きな相手は素晴らしく見えるので、劣等感など持っているとはとうてい思えないが、それは大間違いだ。相手も劣等感だらけの人間なのである。そう思えば、内気な人も、少しは異性と気楽に話せるのではないだろうか。

46 「美人でないのにモテる人」と「モテる美人」の共通点

女性は、よく美人のことをうらやましがる。しかし、男性が必ずしも美女を求めているかというと、そうでもないのだ。「だけど、実際に美人がモテてるじゃないの」と、あなたはいうかもしれない。しかし、本当にその女性がモテているのは「美人だから」という理由だけだろうか。美人という以外にちっともいいところがないだろうか。そんなことはないはずだ。彼女にはきっと、他にもいいところがたくさんあるに違いない。

反対に、美人でないのにモテる人があなたの周囲にいないだろうか。きっといるはずだ。「美人でないのにモテる人」と、「モテる美人」の共通点を探してほしい。それが「モテる要素」なのだ。

さて私は、モテる人の共通点は、明るさや快活さ、笑顔のステキな人だと思う。話しかけても冷たく拒否されることもなさそうな、温かい雰囲気を持っている。男にと

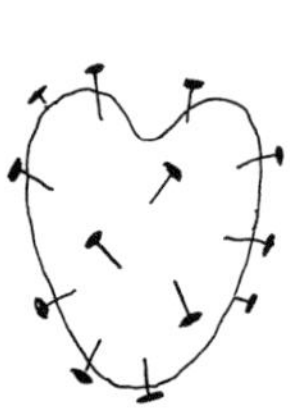

って安心感がある、かわいい女性がいちばんモテている。

美人も、あまりに美女すぎて冷たい雰囲気の人もいるが、普通は、そんな女優さん並みの美女でもない、気さくな美人がほとんどだ。

美人は周囲の人から愛されて育っている場合が多いので、明るい。ひがまない。劣等感がないわけではないが、劣等感にこりかたまってはいない。

「私なんか、どうせ……」

「男なんてみんな美人がいいんでしょ」

などとスネたりしない。

あなたがもし、自分は美人でないと思っても、決してスネたりひがんだりしないことだ。それでモテるようになるならいいが、逆効果だからである。女性の笑顔は何より男性をホッとさせるのだから、スネるヒマがあったら笑顔を磨いてほしい。

男性にも同じことがいえる。ハンサムな男や仕事ができる男だけがモテるわけではない。しかし、ハンサムでないことや仕事ができないことで劣等感のかたまりになっている男は決してモテないだろう。

美女でなくても美男でなくても、ちゃんと恋はできる。自信を持つことだ。

47

「話し下手」なら、こんな「聞き上手」になればいいのだ

話し下手で悩む人は多いのではないだろうか。確かに、恋愛でも仕事でも、話し上手なほうが得だと思えるときがある。しかし、話し下手な人は聞き上手である。話し下手だ、話し下手だと、苦手なほうにばかり気持ちが向かってしまうのかもしれないが、反対に「おれは聞き上手なのだ」というほうに注目してみよう。

人間は、誰だって自分の話を人に聞いてもらいたいものだ。相手が自分の話に一生懸命に耳を傾けてくれればうれしい。あなたも、気のすむまで相手にしゃべらせてあげたらどうだろう。きっと好かれるはずだ。聞き上手のポイントはいくつかある。

まず、あいづちだ。適当なところで「うん、うん」「なるほど」「本当ですか？」などのあいづちを打つ。これは「ちゃんとあなたの話を聞いてますよ」というアピールになる。相手のいうことをくりかえすだけでもいい。「なるほど、お子さんがそんなことをいったんですか」というように相手の話に繰り返してあいづちを打つのである。

次に、ときどき質問をすることだ。

話を聞いていて、あなたがどうもよくわからないことや、もう少し詳しく聞きたいと思うことがあれば、「それはどういうことですか？」「それはいつから始めたんですか？」などと質問してみよう。相手は、あなたが自分の話に興味を持ってくれていることを感じて、さらに気持ちよくしゃべるだろう。

こうして話を聞いているうちに、相手の好きなことや考え方などがよく見えてくるはずだ。そうしたら次からは、相手の好きな話題を持ちかけることができる。

こうやって人と話ができるようになれば、もう話し下手とはいえないはずだ。あなたと話をしたいと思う人がたくさん増えてくるだろう。たくさんの人の話を聞いているうちに、人にはいろいろな悩みがあることもわかってきて、安心するだろう。人と話をするのが苦手という意識も薄れてきて、自信がつくだろう。

自信がつけば、今度は自分の話もできるようになる。自分の話をあなたに一生懸命に聞いてもらった人は、きっとあなたの話も快く聞いてくれるだろう。

話し下手で悩む人は、まず「話す」ことより「聞く」ことに集中しよう。それがいちばんの話し上手への近道である。

48

他人へのアドバイスが〝ほどほど〟でいいわけ

ある男性が、こんな話を聞かせてくれた。同じ課に、うつ病の男性がいた。彼の悩みはあれこれとおさまらない。いっしょに飲みにいって話を聞くが、話は堂々めぐりでちっとも現実的ではない。そこで「こうしてみたらどうなんだ」とアドバイスをするが、「でも、○○で……それはできないんだ」といって、全く聞き入れようとしない。果てしのないグチに嫌気がさしてくる。他の同僚も、彼と飲みにいくのを避けるようになった。

最後までその人を避けずにいたのが、課の中でもいちばん若い、まだ大学を出たての新人だった。うつ病の彼は、しょっちゅう新人をつれて飲みに出かけるようになった。彼はそのうちだんだん回復してきて、今ではすっかり元気になっているそうだ。

あるときその後輩に、「おまえは、よくやつにつきあっていられたな」と聞いてみた。すると、「いや、社内の人間関係をあれこれいわれても、おれにはさっぱりわか

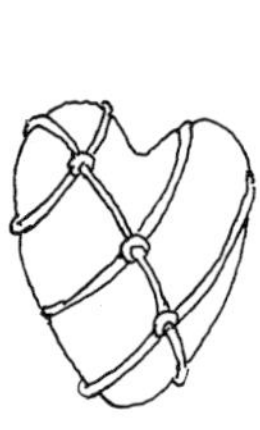

らなかったので、ただ聞いてただけなんです。半分以上は右から左へ聞き流してました」と後輩は答えた。Aさんは、目からウロコが落ちる思いがしたそうだ。

他人の悩みを聞いていると、ついついもっともらしいアドバイスをしたくなるものだ。もちろん、そのアドバイスが役にたつこともある。しかし、結局のところ、本人が自分でなんとかするしかないのだから、アドバイスはほどほどでいいのである。相手は、アドバイスよりも、自分の話を聞いてもらうことを望んでいるのだ。

ところが、これがいちばん難しい。新人の後輩は、新人だったがために、そのいちばん難しいことをやすやすとやってのけたのだ。まだ会社に入ったばかりの彼は、先輩にアドバイスをしようとはまったく思わなかった。社内の人間関係もわかっていなかったから、アドバイスのしようもなかった。そのうえ、それほど親身にもならずに半分聞き流していたのである。

際限のない悩み話など、真剣に聞いていたら誰だっていやになる。半分くらいは聞き流して、一生懸命に聞いているフリをすればいいのではないだろうか。同じ話のくりかえしなのだから、聞き流していても話がわからなくなることはないだろう。いっしょに暗く落ち込んでしまうこともない。これが人の悩み話を聞くコツだと思う。

49 妻に対して、こんな「甘え」と「怠け」を持っていませんか

男性の中には、「妻が仕事に関して理解がない」とか、「仕事で疲れているのに、あしろこうしろとうるさい」とか、「家庭の話など聞いていられない。家に帰ったときくらい休ませてくれ」などと思っている人も多いだろう。

しかし、あなたが妻の話を聞くことを避ければ避けるほど、妻の欲求不満はふくれあがっていき、もっと自分の話を聞いてくれと要求するだろう。

そして、それでもダメならあきらめて子供に向かう。あなたのことは、家庭にいてもいないものとして、子供との家庭を築いていく。こうして、世間で話題のマザコン家庭ができ、父親不在の家庭ができあがっていく。

そうなってからでは遅い。こうなってから夫婦の理解を取り戻そうと思っても、至難の業である。取り返しのつかないことになる前にやっておくことをお勧めする。

あなたは、自分の仕事の話をどれくらい妻にしているだろうか。また、家庭の話を

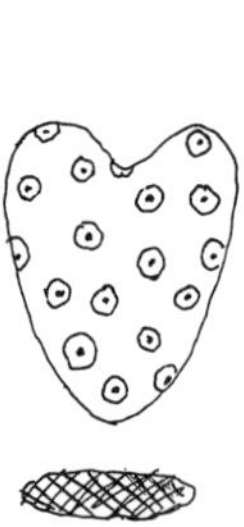

どれくらい妻から聞いているだろうか。仕事上では、いわなくてはならないことや考えの違う上司と渡り合うのが当然と思っているあなたも、いざ妻が相手となると、「何もいわずにゆっくり休ませてくれ」という人が多いのではないか。

妻をほめたり、妻の料理を「おいしい」といったり、いつもよくやってくれていることを感謝したり。そういうことをしないのは、妻への甘えである。「いわなくてもわかっているだろう」というのは「怠け」なのだ。女性のよさを否定し、女性のよさをわかろうとしない男性にかぎって、そんなふうに女性への甘えがある。

「そんなのは女性の甘えだ」「もっとこうするべきだ」「こうでなければいけない」といいながら、自分は女性を理解することを怠けていないだろうか。そして、そういう人にかぎって、妻が自分を見限った頃に、その大切さに気づいたりするものなのだ。

さて、思いあたった人は今日からでも妻にもっとやさしくしよう。

妻の話を聞き、自分の仕事の話もしてみよう。きっと彼女はそのことに満足して、そしてあなたも、いい意味で彼女に甘え、安らげる関係がつくれるだろう。

50

こんなさみしい「単身赴任生活」が、実は幸せな理由

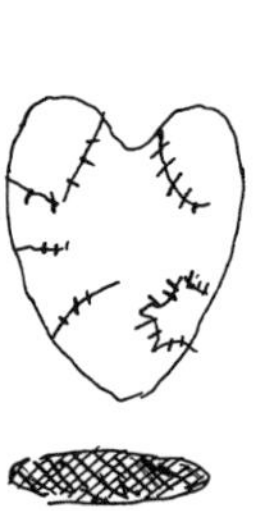

単身赴任をしても、ちっとも「さみしい」などと感じない人もいるし、妻子から離れてすっかり羽を伸ばして自由を謳歌《おうか》してしまう人もいるだろう。

しかし、男性も案外さみしがりやで、ひとり身に耐えかねている男性も多い。朝、ひとりで目を覚まし、着替えをして出かける。喫茶店でモーニングを食べて出社する。夜は夜で、ほとんど何も入っていない冷蔵庫からビールを出して、コンビニで買ってきたおつまみをつまむ。休日の朝、流しにたまったコップを洗ったり、洗濯していると、「いったいおれは何をやっているのか」という気になってくる。むなしさに人生を考え直してしまう人もいるだろう。

しかし、こんなさみしい単身赴任生活を経験できた人は幸せである。きっと、家庭の大切さ、妻の大切さを身をもって知るだろう。仕事、仕事で生きてきて、会社の命令なら単身赴任も当たり前と引っ越したが、いったいおれは人生で何を本当に大切に

したいのか。

そんなことを考え直せたなら、あなたは男としての、人間としての幅が広がる。仕事だけではない価値観に目を向けられる。今まで見落としてきた大切なものを取り戻すチャンスを与えられたのである。

単身赴任をしてみて、かえって妻子との絆《きずな》が深まったという人は多い。たまに家に帰ったときに、いっしょにいる時間を大切にするからだろう。今までよりも十分にコミュニケーションができて、夫婦仲の改善に貢献する。

妻のほうも、夫が電話してきたり、情けない声を出しているのを聞いたら、今までにはなかった愛情が生まれてくるかもしれない。反対に、家庭から解放されて、「これは本当は結婚向きの男ではなかったのだ」と思い始める人もいるかもしれない。それはそれで、じっくり考えてみるといいと思う。

結婚向きの男ではなかったとわかったからといって、さて、どうするのか。外国にでも逃亡するか、離婚して一生フラフラと生活するのか。会社に頼んで一生単身赴任を続けさせてもらうのか。単身赴任というのは迷惑な制度だが、そうでもしなければ真剣に人生を考えない人間にとっては、非常にありがたいものなのかもしれない。

51

あと三か月で世界が終わるとしたら……

ある男性が、こんなことをいっていた。

「もしも自分があと三か月の命だと知ったら、おれはもう会社なんかいかないよ。会社はやめて、やりたいことをやるね」

私たちは、みな、いずれは死ぬ存在である。最後の三か月は、いつきてもおかしくはない。今日は元気いっぱいでも、明日、交通事故にあって死ぬかもしれないのだ。もし、あと三か月の命だと知ったときに本当にやりたいことがあるなら、今からでもなるべくその生活に近づけるほうが、人生、楽しいのではないだろうか。

もちろん、本当にあと三か月なら仕事をやめることもできるが、そうでなければ会社をやめるのは難しい。あなたの価値観が会社や仕事にはないとわかっても、生活の糧《かて》を稼ぐことは無視できない。けれども、どんなふうに仕事をするかを考えていくことはできる。出世を目標に生きるのではなくて、趣味やプライベートの生活を大切に

することもできるだろう。また、情熱を傾けられない仕事をやめて、あと三か月の命でも最後までやりたい仕事を見つけるのもいいだろう。

さて、私も数人の人に聞いてみた。ある男性は、「残ったお金を使って、まだいってみたことのない場所に旅行にいき、おいしいものもたくさん食べたい」という。この人は、きっと今の制約の多い生活を窮屈に感じているのだろう。自分の好奇心をもっと満足させたいのだが、あまりその時間がないのかもしれない。

ある女性は、「今まで関わったいろいろな人たちに、いろいろ伝えたり、あいさつしたい」という。この人は、温かい人間関係や、やさしい感情を大切にする女性らしい女性なのだろう。けれども現代の世の中では、どうしても殺伐《さつばつ》とした雰囲気になってしまう。そんな中で悩むこともあるのかもしれない。

あなたが今、悩んでいたり、どうも生き生きしていないように感じるなら、ぜひ、自分にこの問いかけをしてみてほしい。自分が本当に大切にする人生を生きていなければ、知らぬまに落ち込んだり、悩みをかかえたりする。本当に大切なものに気づいていなければ、きっといつまでも気が晴れないだろう。それを見つけてほしい。

それに向かって歩いていれば、人生の雨も風も、少しは楽しくなるはずだ。

52 心がかんじがらめのときは、この「判断基準」が武器になる！

占い好きの、ある男性の話をしよう。彼は、ひと月に一回は街角の占い師に手相を観てもらう。あちこちの街の占い師に詳しい。

ところが、彼はとても占いをバカにしているのである。近くで雑誌の占いにキャーキャー騒いでいる女性がいようものなら、「あんなものは何とでもいえる、何の根拠があるのだ」と、占い批判をするのである。

それなら占いなど行かなければいいと思うのだが、彼はやはり占いに行く。自分の将来について聞き、自分の能力について聞き、独立はどうでしょうか、と聞く。本当はサラリーマンなどやめたいのだが、やめる勇気がない。やめてどうなるものかもわからないから、占いに相談してみたいのかもしれない。

しかし、占い師に、「あなたは素晴らしい運勢を持っていますよ。独立してもきっとやっていけます」といわれても、彼はやはり独立しない。あんなものは信用できないといいながら、占いにも会社にも批判たらたらで生きている。そしてとうとう、占いで名前まで改名した。しかし、たぶん、彼の運勢がよくなることはないだろう。

ある女性は、結婚を迷ったときに占い師に相談した。すると、「その人との相性は悪くて、あまり結婚はお勧めできない」といわれた。

「それじゃあ、この先はどうですか」と聞くと、「男運も悪くて、これからの出会いには期待できない」という。「それじゃあ、私はいったいどうすればいいんですか」と泣きそうになりながら聞くと、「かわいそうに、かわいそうに」と同情されたそうである。ひどい占い師もいたものだ。

その女性が友人に相談すると、「私はあなたと同じ誕生日の人を知っているけど、男運もいいし、ちゃんと結婚してる」といわれて、決心してその彼と結婚した。今では幸せに生活している。

迷ったときに、ふと占いに頼ってみるのもいいと思う。右か左か、コインを投げて、思いきって決めてしまうのもいい。しかし、決断し、行動するのは自分なのだ。いくら占いに行っても、占いで決めるくらいの勇気もないのでは何もならない。占いでも何でも、結論を出したら進んでいかなければ、運命は何も変わらないのである。

53

自分のためにボランティアをしてみるのもいいではないか

現代人、特に都会に住む人にとっては、孤独感を癒《いや》すことは、なかなか難しいのではないだろうか。今は、マンションの隣の人が何をしているのかも知らなくて当たり前だ。隣で殺人事件が起こっても周囲の人が気づかなかったという話も多い。

けれども、他人が困ったときに「力になりたい」と思う気持ちは、決して今の人たちも忘れてはいない。阪神大震災のとき、たくさんのボランティアたちが集まった。各地でボランティアへの関心は高まっている。人間の助け合いの精神は、どんな時代になってもなくなることはないのだ。

もしもあなたが不安になったり、落ち込んだりしたときには、地域のボランティアに参加してみるのも、ひとつの方法だ。ボランティアは、自分の住んでいるところに密着したものが多い。参加しているうちに、近所に友達がたくさんできるだろう。また、自分がひとりで生きているわけではないことを実感できる。月並みな言葉だが、やさしさや心のふれあいを感じて、あなた自身が癒されていくこともあるだろう。

人のためではなく、自分のためにボランティアをするなんて不謹慎だと感じる人もいるかもしれない。しかし、そう堅く考えずに、とりあえずやってみればいい。

ボランティアにも、いろいろな種類がある。自然保護の団体もあるし、老人介護のボランティアもある。子供の世話や海外交流もある。自分が興味を持つもの、自分が楽しくやれそうなことを見つけて参加してみてはどうだろう。あなたの好きなことが生かせたり、思わぬ特技を見つけることもある。

誰かに必要とされている、と感じるのは大切なことだ。もちろん、今だって、あなたはたくさんの人に必要とされている。ただ、落ち込みのひどい人は、そう実感できないことが問題なのだ。

何をすれば、自分がちゃんと他人に必要とされているとわかり、自分が頼れる人もいると実感できるか。困ったときには助け合ってなんとかなるさ、と感じることができるか。

それはたぶん、人によって違うだろう。その一つの方法として、ボランティアに挑戦してみるのもよいと私は思うのだ。

54

人づきあいに上手いも下手もない、「つきあうか、つきあわないか」だけだ

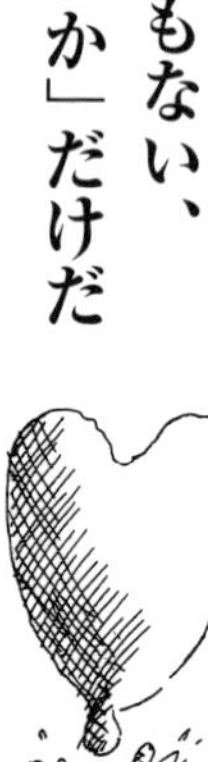

必要以上に自分を卑下したり、過小評価する人がいる。自分は他人に好かれない人間で、人づきあいも下手だと思い込んでいる。そして、人づきあいが下手で他人に迷惑をかけるからと、引っ込み思案になる。そんな人は考え直してほしい。だいたい、人づきあいに上手いも下手もないのだ。

あなたは、どんな人づきあいを「上手い」と想定しているのだろうか。自分のどんなところを「下手だ」と思っているのだろうか。

人づきあいは相手によって、千差万別である。どんなに人づきあいの上手い人でも、新たな知り合いができれば、また一からやり直し、といってもいい。「こうすればだいじょうぶ」という「人づきあいマニュアル」などないのだ。あなたはもしかして、そんなマニュアルを求めていないだろうか。そんなマニュアルどおりに人とつきあおうとしていないだろうか。

もしそうだったら、そんなマニュアルは今日かぎり捨ててしまったほうがいい。どんなに社交的な人だって、他人を怒らせることもあるし、機嫌を損ねることもある。どんなに人づきあいのいい人だって、人と会うのをめんどうに思うこともある。たぶん、あなたと何も変わらないのだ。

あなたは、完璧に人に好かれようとしていないだろうか。ちょっとでも他人にめんどうなそぶりが見られたら、「私とつきあうのは迷惑なのだ」と思ってしまうタイプではないだろうか。

しかし、友達というのは、ケンカしたり疎遠になったり、また親しくなったりして、何年もつきあいを続けていくものだ。完璧に好かれなくても、ちょっとくらい上手くいかないことがあっても、またつきあいを続ければいいではないか。

断絶してしまわなければ、人間関係なんて、それでOKだ。上手くやることが目的ではない。「つきあって」いくことが「人づきあい」ではないか。

人づきあいの上手い・下手はない。「つきあうか、つきあわないか」だけである。つきあいのいい・悪いもない。人には、それぞれ自分に合っただけのつきあいがある。これくらいつきあえばいいとは決められない。適当にすればいいのである。

55

「自分を責めない人は他人にも責められない」法則

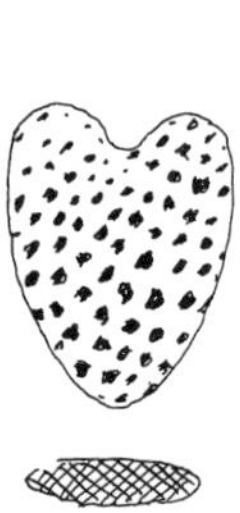

人に対してたいへん厳しく、批判的な人がいる。が、こういう人はだいたい、自分が苦しくなってくる。たとえば、

「あの人は仕事をAのやりかたでやっている。あれはよくない」

と批判したとしよう。するとその人は、もうAのやりかたではできなくなってしまう。もしもいつか、Aのやりかたでやりたいと思っても、自分が批判した手前、やりにくい。

「男はこうあるべきだ。あんな男は男じゃない」

と誰かをそしる。すると、自分もいつも「こうあるべき」男像をやらなければならない。そうでなければ、周囲に、「あんな男、男じゃないよな」といわれているような気がしてしまう。自分が「こうではいけない」「こうあらねばならない」と思うことが多いほど、自分自身、やらなければならないことが多くなってくるだろう。

どうも人に責められているような気がしてしかたない人は、一度よく考えてほしい。あなたが他人を責める気持ちが強いのではないだろうか。

〝私のことをみんなが責める〟と思っている人は、みんなのことをあなたが責めているのかもしれない。

「私は人に好かれない」といって悩んでいる、ある女性がいた。しかし、彼女の話を聞いていると、彼女には好きな人がいない。「あの人はああだからいやだ、この人はこうでいやな人だ」と、嫌いな人だらけである。

これではもちろん、他人からも好かれないだろう。彼女は、人に好かれないのではなくて、人を好きではないのだ。

人間関係はたいてい「お互いさま」にできているのではないだろうか。

人に親切にする人は、人にも親切にされる。人を許す人は、人に許される。人を好きな人は、人にも好かれる。そういうふうに世の中はできている。そして、自分を許す人は他人にも許される。自分を好きな人は、他人にも好かれる。自分を責めない人は、他人にも責められない。そういうものなのである。

56 「まあ、こんなもんだろう」――これがうまくやり抜くキーワード

「えい、やっ」と勢いでマンションを買ったが、そのマンションは使い勝手が悪く、不便なことが、住んでみてわかった。よく検討もしないで買ってしまったことが悔しくて悔しくて……。こんな人はけっこう多いのではないだろうか。

しかし、ものは考えようである。マンションなど、モデルルームで気に入っても、住んでみなければわからないものだ。隣にどんな人が住むのかもわからない。よく検討してみたところで、やっぱり結果は今と同じだったかもしれない。

だいたい、そんなに何もかも自分の思いどおり、理想どおりのマンションなど探していたら、いつになるかわからない。多少、日当たりが悪くても、休日に散歩に行けばいい。少々収納スペースが狭いなら、物を減らしたり、収納を工夫してみよう。あったかどうかもわからない理想の部屋を思って嘆くより、今の部屋でうまいこと住んでいくことを考えるほうが、現実的ではないだろうか。

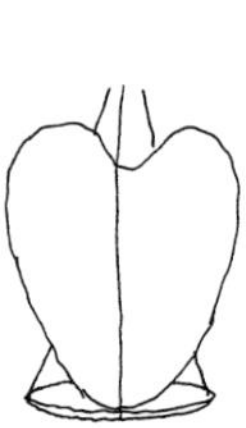

そうやって、なんとかつきあっていく方法はいろいろあるはずだ。例えば、住んでいる街はどうだろうか。「もう少し勤務地に近かったら」「近くにコンビニがあったら便利なのだが」など、欲をいえばキリがないはずだ。けれども、自分で駅前にコンビニを建設するわけにもいかないし、喫茶店をつくるわけにもいかない。「欲をいえば」と思いながらも、それほど不満なく暮らしているだろう。

今の街を選んだからには、いいところもたくさんあるはずだ。住んでいるうちにだんだんようすがわかって、不便さをどう補うかもわかってくる。住めば都に変身してくるのだ。マンションだって同じこと。他にも選択肢があったと思うから悔やまれる。もっといい部屋が見つかったかもしれないと思うから悔やまれる。しかし、何かがよければ何かが足りないのが普通だ。

「まあ、こんなものだろう」

といってつきあっているうちに、愛着がわいてくるものだ。

会社でも、上司でも、部下でも、人生何ごとも「住めば都」だ。イヤだイヤだといっても、つきあっているうちにその上司のクセに慣れてくる。別のイヤな上司に新たに取り組むより、今の上司の欠点につきあっているほうが、ずっといいではないか。

57

〝臆病な人〟ほど相手の心を必死で読もうとするわけ

赤面恐怖症、対人恐怖症ぎみの人は、「自分の心の状態が相手にわかってしまうのではないかと不安になる」という。けれども、相手の心の動きが何もかもわかる人など絶対にいない。多少は、「あの人はこう考えているのだろう」と予測はつけても、「絶対」ということはない。あくまでその人の勝手な予測なのである。

もし、あなたが、そんな心配をしているなら、私はこういいたい。仮に自分の心の動きが相手に気づかれているからといって、どうということはない。

相手もまた、「相手の心がわかった」と思いたい臆病者なのである。本当はあなたと同じように、相手の人間の心がわからず、他人がこわい。だからこそ、「あいつはこう考えているのだろう」と勝手に予測して、自分の恐怖を軽くしている。

つまり、根はあなたとまったく同じなのだ。たぶん、あなたももともと、「人の考えがわかった」と思いたいほうだろう。人が何を考えているかさっぱりわからないと

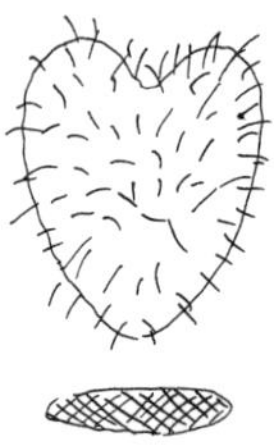

不安だ。不安だから「こうではないか」と予測して行動する。ところが、しばしば失敗する。他人の考えていることなんて一〇〇パーセントわかるわけはない。

しかし、対人恐怖は、この失敗にこだわってしまうことから生まれる。相手の考えていることがわからない。見当はずれの行動をしてしまうので相手に嫌われるのではないか。自分は相手の気持ちがわからないのに、相手には全て読まれているのではないか。そんなふうに、どんどん恐怖はふくらんでいってしまうのである。

行動しなければ相手の考えていることはわかるようにはならない。とはいえ、行動しても、そうわかるようになるわけではないが、少なくとも〝慣れる〟。

また、こんなふうに考えることはできないだろうか。あなたが相手に見当違いなことをされたり、誤解に満ちたことをいわれたとする。しかし、親しい人だったら、その誤解をとくこともできるし、キツイことをいわれても平気だったりする。反対に、それほど親しくない人にいわれるとショックだ。

つまり、あなたも人を恐れていないで、まず親しくなることが第一なのだ。そうすれば、あなたが多少見当違いなことをしても、相手はきっと許してくれる。人を恐れてつきあわないより、つきあうことで恐れがなくなっていくのである。

58

ときどき立ち止まってみることが、心の〝ガス欠〟を防ぐコツ

現代人が「ストレス」で憂鬱《ゆううつ》になっている一因には、「忙しすぎる」環境がある。自分の気持ちを整理するヒマがない。悩みや迷いを誰かに聞いてもらうヒマがない。ふと疲れたとき、ゆっくり休むヒマがない。

ひとり暮らしの女性がこんなことをいっていた。夜中に、ふとさみしくなって、誰かに話を聞いてもらいたくなる。しかし、電話をする相手がいない。結婚していたり、家族がいる友人には、深夜に電話をかけられない。そこで、その日はお酒でも飲んで寝てしまう。さて次の日、友人と会う約束をしようと電話をする。ところが、友人も忙しい。お互いのスケジュールがなかなかあわず、結局、「また、ひと段落ついたら」ということになる。

そこで、「ひまになったら食事でもいこう」と約束して電話を切る。しかし、その約束はいつになるかわからない。みんな忙しいのだ。

専業主婦の友人の家に遊びにいくと、世界があまりに違うので、世間話では盛り上がるが、仕事の悩みを話しても全然理解し合えない。彼女にしてみれば、独身で自由気ままに仕事をしている女性をうらやましく思いこそすれ、何か悩みがあろうとはぜいたくこのうえないと思っているのである。しかも彼女は彼女で、亭主の文句と子供の世話で忙しい。家庭生活のグチを聞いてもらいたいが、おしゃべりしていても子供は泣くし、遊んでもらいたがる。ふたりでゆっくり話しているひまがない。

とうとう職業的なカウンセラーのところにいって話を聞いてもらおうとしたが、そのカウンセラーも、人の話を聞くより自分の話を聞いてもらいたいほうだった。その人はその人で、仕事に疲れて、ストレスでパンパン状態になっていたのである。

昔は、悩みや気持ちの整理は、周囲の親しい関係の中で分かち合っていたものである。アメリカではカウンセラーにかかるのが当たり前というが、日本もついにそんな忙しくて殺伐とした時代になってきたかと思った。

さてあなたは、忙しすぎて、やさしい気持ちや思いやりを忘れていないだろうか。あなたの周囲に、この殺伐とした時代についていけずに疲れている、遠慮がちな人はいないだろうか。ちょっと立ち止まって見渡してほしいのである。

59
悩めるのは、あなたにそれだけ心の「許容量」があるからです

人間、普通はそれほど苦悩を維持できないものだ。もちろん、病気による苦痛や経済的な悩みなどは別だ。けれども、気持ちの整理のつかないモヤモヤ、イライラは、それほど長くは続かない。いったん気が変わればコロッと元気になるものだ。

悩むには体力も必要だ。ひまも必要だ。反対にいえば、悩む人というのは体力と、それだけのひまがあるのだ。といって、悩んでいるのはひま人だと責めているわけではない。ひまがあるなら大いに悩むのもいいと思う。

人生にはプラスもあればマイナスもある。悩むのは、そのマイナスの消化になる。悩みなどない、と元気いっぱいの人が病気になり、いつもくよくよ悩んでいる人が意外に病気ひとつしないものだ。たぶん、マイナスを心で処理しているか、体で処理しているかの違いではないだろうか。

例えばマイナスが一〇ポイントあったとする。五ポイントくらいはくよくよと悩ん

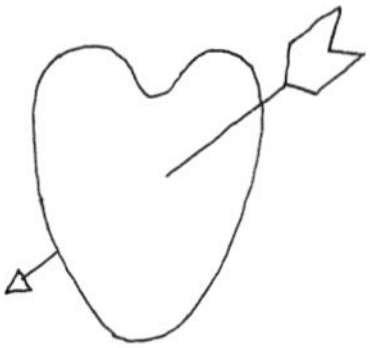

で、あとの五ポイントは風邪か何かで処理している人。心では全然悩まないので、一〇ポイント全部が体にきて病気をする人。一〇ポイント全部を心でくよくよしているので、あまり体にはこない人……人間、どこかでマイナスを処理するものではないか。

また、マイナスポイントの処理能力も、人によって個人差があるだろう。

ある人は、一〇ポイントしか耐えられない。ある人は、二〇ポイントまでは耐えられる。ある人は五ポイントでもうゼイゼイいっている。

心の許容量もあるだろう。一〇ポイントまでは心で処理できるが、それ以上のマイナス負担がかかると病気をする、というようにだ。そんなふうに考えてみると、くよくよする人というのは、くよくよできるだけの力があるわけだ。心の許容量が広いのである。マイナスポイントの許容量がたくさんあるということは、今度はそれがプラスに変わったときにも許容量が広いということだ。悲しみや苦しみを感じる力に優れているということは、喜びや楽しみを感じる力も人一倍大きいということなのだ。

不幸や悩みは、心を鍛える。心に負担がかかっているときは、きっと、より大きな幸せが入ってくるように心の許容量を増やしている期間なのだ。不幸は幸せの養成ギプスだ。そして、どんな悩みも必ず終わる。それまでに、大いに心を鍛えてほしい。

60

くよくよ性の人ほど、コントロールしだいで「生き方上手」になれる

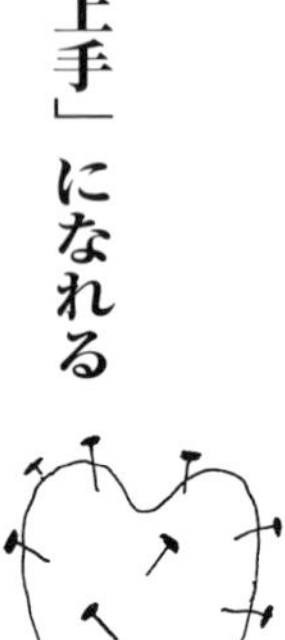

くよくよと心配ばかりしている人に向かって、「もっと前向きに考えろよ。ポジティブに考えろよ」と励ます人がいる。これはもちろん、一面で正しい。しかし、こういうことをいう人が、本当にポジティブかというと、そうでもないときがある。

しかし、ポジティブに考えようと人一倍こだわる人は、実はネガティブなことを見たくない、とネガティブを避けている場合がある。これを偽ポジティブ人と呼ぼう。

「矢でも鉄砲でも持ってこい！」という言葉がある。これは矢も鉄砲も、きたらきたでしかたない、と迎え撃つ気持ちがある。

これに対して、「矢がきたらどうしよう、鉄砲がきたらどうしよう」と心配しているのが、くよくよ性の人。

そして、偽ポジティブ人は、「矢のことなんか考えるな、鉄砲なんかこないさ。き

っと素敵な未来がやってくるよ」と、人生の暗い一面を見ないようにしている人だ。

本当は、人生には、ときには厳しい時期もやってくると、うすうす感づいてはいるのだが、それを認めるのがこわい。そこでカラ元気を発揮して、くよくよ性の人を、やたらと励ましてしまう。アリとキリギリスの話でいえば、キリギリスのような人だ。冬になったら困りそうだということは考えないようにしている。実際に今が冬でも、「寒い」と感じないようにしている。他人から見たら、かなり困った状況におちいっているのに、本人は平気な顔をしている人がたまにいるものだ。キリギリス人である。

一方、くよくよしているだけの人は、冬がくることは予想しているし、冬になれば「寒い、寒い」と寒がることはできる。しかし、冬のために適切な準備をしたり、「寒いから毛布を手に入れよう」とか「暖かい小屋を建てよう」ということができない。

しかしこういう人は、冬を乗り切る技術さえ身につければ、いちばん賢い人間になれる。適切な準備をして冬を乗り越える、アリのような人間になれる。

寒いと感じる心があるなら、ぜひ、それをなんとかする手だてを考えてほしい。同じように「寒い」と感じている人間と集まって、その寒さをどう乗り切るか、知恵を寄せ合おう。そんな人が、キリギリスのめんどうまで見てやれる人間なのである。

61 睡眠は、心の働き具合と〝直結〟している

日常のストレス解消法、気分転換法で元気にやっていければそれにこしたことはない。しかし、ドクターに相談したほうがいいときもある。そこで、どんな状態になったら医者にいったほうがいいか、そのチェックポイントをあげてみよう。

まずは、睡眠に注意してほしい。うつ症状では、ほとんどの場合、睡眠障害が見られる。その特徴は、大きく三つある。一つは、寝つきが悪くて、なかなか眠れないという「入眠障害」。二つめは、寝つきはいいが、すぐ目がさめてしまう「睡眠中断」と、朝早く目がさめてしまう「早朝覚醒」。三つめは「浅眠」。朝の寝ざめがすっきりせず、不快感があったり、夜によく眠れず昼に眠くてしかたない。眠れても、ちょっとした物音で目がさめてしまったり、悪夢にうなされる人もいる。

今あげたのは、うつ状態の場合の睡眠異常だが、躁状態のときの睡眠障害もある。躁状態のときは、行動が積極的、活動的になるが、それでいて疲れをあまり感じな

い。眠る時間が惜しくなって、寝る間も惜しんでいろいろやりたがる。他人の迷惑もかえりみずに深夜に電話したり、突然、訪問したりする。本人は疲れたそぶりは見せないが、実際には活動しすぎで、疲れはたまっている。

眠りの状態を見ると、その人の精神状態がわかる。睡眠が規則的で、夜はぐっすり眠れ、朝はすっきり目覚められれば、心も体も健康なのだ。

日本人の平均睡眠時間はおよそ七時間から八時間くらいだ。しかし、この時間をあまり気にしすぎないでほしい。これはあくまでも平均だ。もっと短くても健康に過ごしている人もいるし、もっと長く睡眠を必要としている人もいる。本人にとって、その睡眠時間でずっと健康に暮らしているなら、それがあなたの適正睡眠時間なのである。

また「眠れない」ことを気にしすぎるのも禁物である。一日や二日眠れなくたって、どうということはない。「眠れない、眠れない」と気にすることからよけい不眠が生まれる。スポーツジムにでも行って、ひと汗流せば、心地よい疲れとともにぐっすり眠れることもある。しかし、長期的に睡眠異常が続き、日常生活に支障が現れるようなら、ドクターにかかることをお勧めする。

62

このサインが出たら、あなたは頑張り過ぎています

うつ病には、次のような徴候が現れる。
・バイタリティがなくなって、疲れやすくなった。・何をやっても楽しくない。
・決断力が低下した。・何事にも好奇心がわかなくなった。・孤独を好み、人と会いたくなくなった。

この五つが重なったら、うつ症状が進展しているので、ドクターに相談することをお勧めする。うつ症状の人に話を聞いてみると、「心臓に鉛をつめたように重い」という。心臓のあたりが重いので、何をするにもおっくうで、座っているのもつらく、ゴロリと横になりたくなる。はたから見ていたら単なる怠けものだが、本人にとっては実際に苦しく、つらいのである。また、ため息も多くなるようだ。ふとんから出られず、シクシクと泣き続ける人もいる。こうなってくると、会社にも行けない

しかし、うつ症状の人に、「がんばって」と励ますのは禁物である。それがプレッ

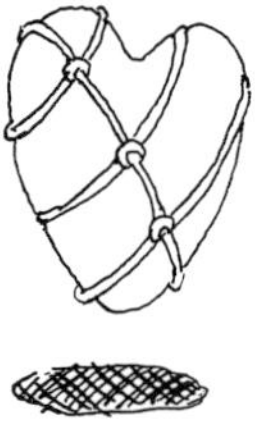

シャーになって、よけいにうつ症状がひどくなる場合がある。「旅行にでも行って気分転換しなさい」と、無理に動かすのもダメだ。ひとり旅に出ると、自殺衝動を起こすこともある。

それよりも、同情的・共感的に話を聞いてあげるのがよい。いっしょになって暗くなるのもよくないが、あまり明るくしていると、うつ症状の人が疲れてしまう。

さて、うつに似た症状を表すものに「脚気《かっけ》」がある。疲れやすくなって、動悸・息切れがする。下肢がピリピリして、むくんだりする。これは、ビタミンB_1不足が原因だ。インスタント食品や、糖質の多い飲み物やアルコールの飲みすぎも、ビタミンB_1やビタミンCの不足をまねきやすいので要注意である。

このように、うつ以外が原因の病気のこともある。疲れやすい、だるいというのは体の不調の信号なのだから、どこが悪いのか、きちんと医者に診察してもらったほうがいいだろう。それでも体に何の原因もなければ、心の病気かもしれない。そんなときは、心のドクターに相談してほしい。現在は、総合病院でも「心療内科」などを設けているところがたくさんある。昔のように「精神科」にかかるなんて恥ずかしい、という意識は捨てて、心のドクターも活用してほしい。

63 セックスに変化があったら要注意！

うつの徴候は、タバコやセックスの量にも表れる。

例えば、タバコの量が異常に増える。ちょっと吸ってはすぐに消して、またすぐつけるという「いらいら型」の喫い方になることが多いようだ。

ちなみに、無気力型の場合、タバコの量がぐっと減ることが多い。

また、セックスの回数が極端に増えるのがいらいら型。アルコールで、しばしウサを晴らしたいというのと同じことで、セックスで悩みをまぎらわせたいのである。いらいらをセックスにぶつけているわけだ。

食欲過多になるか、反対に食欲がまったくなくなることもある。不安が強い場合、吐くまで食べて、吐いてはまた食べるというケースもある。

年代でいうと、五十代以前の中年層に多いのが無気力型だ。イスに腰かけたら一言も口をきかず、そのままじっと沈み込んでしまうようなタイプだ。何をする気力もな

いので、仕事をする気もない。朝、起きることさえおっくうになる。

一方、五十代以上に多いのが「いらいら」の「不安焦燥型」だ。

これは、動物園の熊が檻《おり》の中を行ったり来たりするように落ち着かず、ひとり言をいったり、うなり声をあげたりする。物忘れがひどくなるのも特徴だ。というのも、いつも心の中が混乱していて、集中できないからである。

電話が三本も四本もかかってくる。そして、同時に目の前の相手の話も聞かなければならない、という状況と同じなのだ。心の中にはあれこれがとっちらかっていて、まとまりがつかない。いろいろなことを次々にやっているようでいて、実は何も手についていない。

こうした症状が、無気力型の人と同じうつであるわけは、その中核に精神抑制（心理的ブレーキ）が作用しているからだ。

何かの精神的なブレーキがかかっていて、そこにエネルギーを使っている。それでいらいらするのだが、仕事ができない。ますますあせっていらいらするという悪循環だ。根は無気力型と同じで、やはり抑制がかかっているのである。

どちらにせよ、このような行動の異常が見られたら、早めにドクターに相談しよう。

64 心の「マイナス」は、こうして日常生活に〝顔〟を出す

うつ病は、もともとは躁うつ病に分類されるものだ。躁状態だけが周期的にくりかえすのを躁病といい、うつ状態だけをくりかえすのをうつ病という。うつ病のほうが数が多いので問題になりやすいのだが、ここで躁病の説明もしておこう。

躁病では、気分が高揚し、次々にアイデアがわいてきたり、「矢でも鉄砲でも持ってこい」というような大きな気分になる。手当たりしだいに友達に電話をかけまくったり、上司に対してデカい態度をとって怒らせたりすることもよくある。おしゃべりになり、しゃべり出すと止まらない。睡眠もあまりとらなくなる。

また、しゃべる内容がウソであることも多い。気が大きくなっているので、話が誇大妄想的になる。人と気軽に約束するが、それを守らない。何か考えつくとすぐ行動に出るが、無責任なので他人に迷惑をかける。

金使いも荒い。サラ金で金を借りまくってどんどん使ってしまうようなこともある。

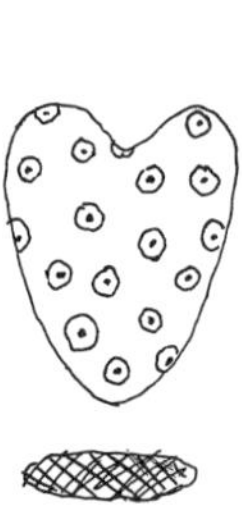

こうなってくると、借金のために、あとから自殺騒ぎになることもあるので深刻だ。

うつとセットになっている場合は、うつ期に入ると、「たいへんなことをやってしまった。自分はダメ人間だ」と落ち込み、絶望し、自殺を考えたりし始める。しかし、本当に無気力なときは、自殺する気力もない。ちょっと回復してきたときに実行してしまう場合が多い。躁うつ病の人が周囲にいる場合は、家の人は十分、注意をはらう必要がある。

躁うつ病の原因はよくわかっていないが、遺伝の要素が大きいようである。

仮面うつ病も、最近多い病気である。仮面うつ病は、本質的にはうつ病なのだが、身体症状が強く出るので、一見、身体の病気と見間違えるうつ病だ。

睡眠・食欲障害、性欲の減退、疲労感、全身倦怠、頭重、頭痛、口の渇き、動悸、胃痛、便秘、下痢、視力減退、月経異常、耳鳴りなど、さまざまな症状がある。

身体症状があるので、内科などに行くのだが、調べてみても、どこもおかしくない。これが仮面うつ病である。身体には障害がないので、症状はあくまで心の問題として起こっている。病院めぐりをしているうちに、うつが進行してしまう場合があるので、早めに気づいてほしいものだ。

65

うつ症状に悩む人は、「うつ友達」をつくれ

現代の世の中は、よほどのストレス社会らしく、うつ病やうつ症状を示す人は多い。しかし、いまだにうつ病などといわれると大ショックを受ける人もいる。

ある大会社の管理職の男性は、部署の異動に伴ってうつ病になり、精神科に通うことになった。精神科の待合室で待っていると、かなり重病の患者さんにも出会う。そして、それを見ていると、よけいに落ち込んでくるのだという。大きな会社で着々と昇進してきた男性だけに、「精神科に通う」ということ自体がすでに「人生の落伍者」のように感じたらしい。会社にもひた隠しにして、こっそり通ったようだ。

心の病気になると、誰でも自分のことを、とても「弱い人間」と感じるのではないだろうか。そして、自分のことを強いと思っていた人ほど、ショックも大きい。

ある雑誌の女性編集者は、不規則な生活から体調をくずし、病院で「自律神経失調症」と診断された。そのときは自分のことを、「社会不適応者」と感じて落ち込んだ

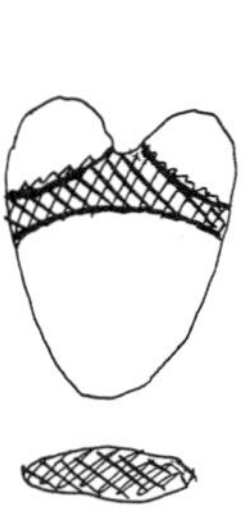

そうだ。しかし、先輩の女性に、「あら、私も数年前になったわよ」といわれ、「自分だけではないのか」とずいぶん気が楽になったという。

自律神経失調症を自慢することもないし、そうならないように規則的で健康な生活を送る努力は必要である。けれども、なってしまったときには、「そのくらい誰だってなるさ」「今じゃ当たり前の病気だ」くらいの気持ちでいればいいのである。あなただけではない。たくさんの人が、心が原因の症状に悩んでいる。

うつ病だって、それほど珍しいものではない。

かくいう私も、「これはいよいよ、うつだな」と思う状況を何度か経験した。精神科医という仕事をしている人間なら、うつ感情に襲われるのは当然のなりゆきなのだ。

幸い、それ以上重くならずにぬけ出してきたし、人生の落伍者とも思っていない。私はたくさんのうつ病患者を診察しているから、仲間はたくさんいることを知っているのだ。

うつ症状に悩むあなたも、気楽に考えてほしい。うつ友達は必ずいる。うつ友達をつくれば、グッと心も軽くなる。ひとりで悩むのはもうやめて、うつ友達といっしょに悩めばいいのである。

66

「落ち込まないようにする」より「早く切り替える」ことが大切

考え方を変えていくのは大切なことだ。

落ち込みやすい性格の原因を、「おれはこうだからすぐトラブルのだ」「私ってこうだからすぐ落ち込んでしまうのよね」と分析するのもりっぱなことである。

しかし世の中、分析できたからといって「はい、そうですか」と立ち直るかというと、そうでもない。いくら頭で考えても、考えただけでは解決しないこともたくさんある。

しかし、私たちはそれでも毎日を生きていくわけだから、落ち込んだときには気分転換をする方法が必要だ。落ち込むことはやめられない。それなら、落ち込むときは落ち込んで、そのかわり早く立ち直る方法をたくさん覚えようではないか。

落ち込んだときの気分転換が上手な人ほど、生き方の上手い人だといえる。落ち込まなくなることを目標にするより、落ち込んだときに早く気分を切り替えることを目指そう。例えば、ある男性は、料理をするのが気分転換になるそうだ。

上手くできれば、「おれもなかなかたいしたものだ」と満足感も味わえる。仕事に関係ないことなので、仕事で無力感を感じたときには、料理が最高のストレス解消になるそうだ。

ある女性は、欠けてしまったお皿や、使わなくなったコップなどをためておき、腹が立ったとき、落ち込んだときに、思いっきり割るという。また、ある女性は、どうしても腹の虫がおさまらない相手がいるとき、宗教書を読み、「あんないやなやつなのだから、いつかは報いがくるに違いない」とほくそ笑むそうである。

いろいろな方法があるものだ。みなさんも、周囲の人に、「どんなふうに気分転換しているか」を聞いてみるといい。たぶん、それぞれにおもしろい答えが返ってくるだろう。「おまえもやっていたのか」と共感することもあるだろう。

さて、次の項から、気分転換の方法を項目にあげてみた。あなたの気持ちにぴったりくるもの、使えそうなものがあれば、ぜひ実践してみてほしい。

67 睡眠と目覚めを画期的によくする私の方法

最近、風呂の中で歌を歌ったことがあるだろうか。忙しすぎて、風呂に入るのはあくまで義務、体をさっさと洗ってそれで終わり。もしかすると、風呂に入る時間ももったいない、という人もいるかもしれない。

そんな人は、夜の長風呂の効用を知ってほしい。風呂を「ムダな時間」と敵視せずに、もうちょっと楽しんでみてはどうか。風呂の中で歌うくらいの余裕もなくなっては、人生の長期戦を健康に保っていくのは難しいだろう。ストレスで緊張したままでは気持ちよく眠りに入れないが、風呂で十分リラックスしておけば、睡眠も快適だ。

最近は少なくなったが、銭湯に行くのもお勧めだ。家で風呂に入るのとはまた違った気分が楽しめて、いい気分転換になる。裸のつきあいの少ない現代に、銭湯に集まる人たちと、ちょっとした言葉をかわすのもいいではないか。

私も、スポーツジムのあとのサウナを社交場にしている。服を脱いだおつきあいの

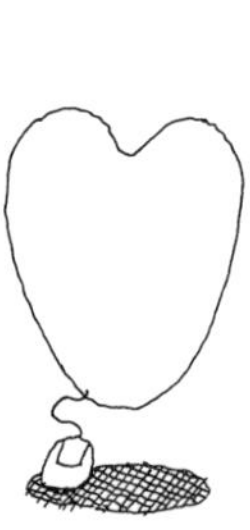

せいか、リラックスして話がはずむ。

「つまらないことを、よくいつまでもしゃべっていられるものだ」と思う人もいるようだが、おしゃべりは、日頃のタテマエだらけの社会でたまったストレスのガス抜きになる。

タオルを洗面器に入れて銭湯に出かける気分もいい。季節のいいときなら、風呂あがりの風が気持ちいい。銭湯から帰って飲むビールも格別の味だ。

反対に、朝のシャワーも気分転換になる。熱めのシャワーを浴びると頭がすっきりする。朝からぬるめの風呂に入ると、リラックスしてしまって体が起きないので、朝は熱めの湯をお勧めする。

シャワーを浴びるために、ほんの三十分早起きするのもいい。ぼんやりしたまま満員電車に乗り、会社に着いてだらだらと仕事をするより、早起きしてシャワーですっきり目覚めれば、一日の始まりがさわやかだ。始まりがさわやかなら、集中して仕事ができて、夜もぐっすりとさわやかに眠れる。

どうも体がだるくてすっきりしないという人は、朝のシャワーと夜の長風呂を試してみてほしい。

68 こんな気分転換の〝定番〟を持つ効果

気分がモヤモヤして仕事に集中できない。会社であったイヤなことを、家族に話してもわかってもらえそうもない。心の中に悔しさや悲しさや怒りがたまって、すっきりしない。そんなときには、映画を見たり、小説を読んだりして発散するのも、ひとつの方法だ。

知人のある女性は、「これを読むと必ず泣ける」という小説があって、それを気分転換の定番に決めているそうだ。気持ちがすっきりしないときには、その小説を読んで、思いっきり泣いてしまう。気のすむまで涙を流してしまうと、気分が切り替わって、落ち込みから立ち直るそうだ。

失恋を歌った歌を聞いてどっぷりとその世界に浸り、涙を流して気分転換をはかるという女性もいる。

男性の場合、普段、涙を流して発散することが少ないので、かえってこの方法は効

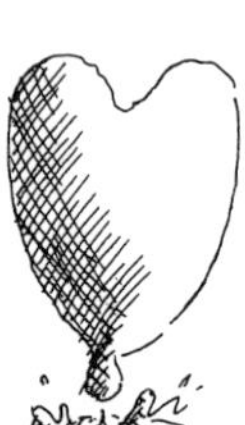

果があるだろう。男性だって、どんどん泣いたほうがいいのである。ドラマや映画でもいい。感情移入して泣けるものを見つけたら、たったひとりで夜中にビデオを見ながら泣くのも楽しいではないか。

結果がわかっているハッピーエンドの映画を見るのもいい。知人の男性は「オーケストラの少女」を定番に決めているそうだ。不調のときにこの映画を見ると、明るい気分になるという。

自分を映したビデオを見るという男性もいる。スキーに行ったときに、フォームチェックのために撮ったビデオ。ラグビーの試合をおさめたビデオ。

うまくいったときのビデオを見れば、「おれもけっこうやるじゃないか」と自信を取り戻し、ヘタクソで不《ぶ》様《ざま》な姿を見れば、「まあ、おれなんて、この程度のもんじゃないか」と開き直りの余裕が生まれてくるという。

こんなふうに、自分の気に入った映画、希望を与えてくれる映画などをビデオに収めておいて、落ち込んだときには、それを見る。

あなたも何本か、そんな映画や本を持ってみたらどうだろうか。

69 ほろ酔い気分は、絡み合った心をときほぐしてくれる

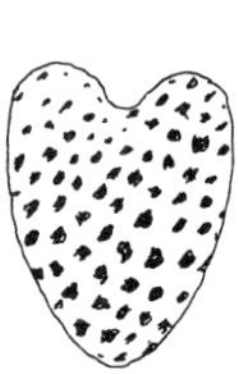

人と話しているうちに、自分の気持ちに整理がついてくるのは、よくあることだ。他の人の話を聞いているうちに、「そういう考えもあるのか」と自分のこりかたまっていた考えに転換が起こったり、自分にも思い当たることがあってひそかに反省したりすることも多い。

会社の帰りに一杯飲みながら、ほろ酔い気分で会話を楽しむのは、いちばん手軽なストレス解消の薬ではないだろうか。気の合う仲間と飲むのもいいし、ときには上司や後輩など、年代や立場の違う相手と飲むのもいい。女性と飲むのも、また楽しいだろう。

アルコールの効能の第一は、精神的な抑制をすみやかに解消してくれることだ。酒を飲む人間なら、酔うほどに抑制がとれていく、あの解放感がわかるだろう。穏やかな幸福感につつまれ、快活になり、束縛から放たれていくような気分だ。

また、アルコールは、体に必要な睡眠と食欲の増進にも役立つ。一日の生活にピリ

オドを打つ節目になる。酒を飲んでいると、「きょうも一日の仕事が終わった」という充足感があり、生活にメリハリがつくのである。

だから私は、一日の締めくくりに酒を飲むことにしている。一日の最後に明確な句読点を打つことで、次の日にあれこれのストレスを持ちこさないように工夫しているのだ。酒が私の一日のリフレッシュ休暇なのである。

しかし、アルコールには依存症があるので、中毒にならないように、適正飲酒を心がけてほしい。アルコール健康医学協会の会長を務める私が勧める「適正飲酒」のポイントは次のようなものである。

酒量は日本酒二合以内、ビール二本以内、ウイスキーのダブルの水割り二杯まで。休肝日は週二日。二〇度以上の酒は薄めて飲む。酒は食事とともに。薬といっしょには飲まない。ひとり酒より、おおぜいで楽しく飲むこと。女性は妊娠期間には飲まないこと。歳をとるにしたがって、酒量が減れば理想的だ。

私は、「今日も一日の仕事を終えたごほうびにうまい酒が飲める」と自分にいい聞かせている。何もせずに酒びたりになるのは逃避である。飲み方によって、百薬の長にもなるし、毒薬にもなるのが酒なのだ。

70 男でも女でも、おしゃれはあなたの「気力」を育てます

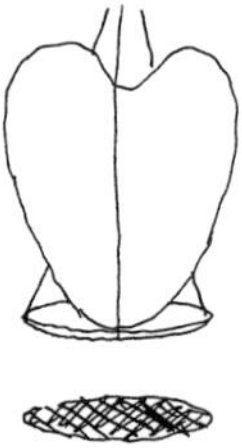

気分転換のひとつに、おしゃれをすることをお勧めしたい。おしゃれは生活のリズムにアクセントをつける。ラフな服装をすれば気持ちもゆったりするし、キリッとドレスアップすれば、気分もシャンとひきしまる。

女性は、おしゃれをすることで、自然に自分の気持ちを切り替えることが男性より上手なようだ。お化粧で気分をひきたてたり、流行のものを取り入れたり、いつもと違うタイプの服でイメージチェンジしてみたり。

男性だって、もっとおしゃれを活用しない手はない。おしゃれには、いろいろな効用があるのだ。

まず第一に、高い判断力が必要だ。今日の会合には、どんな服装がいちばんマッチしているか。パーティーには、どんな服装がいいか。頭も眼も使う。

そして、バランス感覚も養われる。どのネクタイには、どのスーツがあうか。私は、

上等な靴をはいたときは、ハンカチもそれにあわせて上等の品を使う。

さらに、勇気も必要だ。いつも他人と同じような服装では、おしゃれとはいえない。周囲がオヤッと思うような服を着るときには、勇気がいる。しかし、その服を自信を持って着こなしたときの気分は格別だ。また、新しいおしゃれに挑戦しようという勇気もわいてくる。いろいろな服を着こなせるようになる。

また、適応力も身につく。今日は寒いからコートを着よう。暑いから半袖にしよう。こうした適応力は、生活の技術でもある。季節をちょっと先取りするのも楽しい。暖かくなってきたとき、誰よりも早く半袖を着る人は、おしゃれ心のある人だろう。

こうして、毎日の服装に気を配っていると、不思議と、内面的な気力も充実してくる。キリッとドレスアップしたときの緊張感と、ラフな服でくつろいだときの弛緩、というリズムもできる。他人の眼を意識することも、いい刺激になるようだ。

今まで服装などに興味のなかった男性も、ぜひこれからはおしゃれに気を配っていただきたい。だいたいそのほうが女性にモテる。それがまた気力を充実させる原動力となること間違いなしだ。

71

ここをケチらないのが、気分転換の達人になる秘訣

私は、気分転換によく旅行をお勧めするが、忙しくてのんびり旅行に出かけるひまのないときには、近場のホテルに一泊するのも気分転換になる。

例えば、東京に住んでいる人なら、横浜や浦安など、一時間あれば行ける距離のところで十分だ。交通費のかからない分、思いきってリッチなホテルを選んでぜいたくしたい。

ホテルに泊まれば、仕事の電話もかかってこないし、日常生活の雑事から離れられる。ゴージャスな部屋でくつろいで、のんびりとシャワーを浴び、気持ちよく洗ったシーツのベッドでゆっくり休む。食事もケチらず、思いきって豪勢にいこう。

知人の女性はホテルめぐりが好きで、都内や東京近郊に新しいホテルが建つと、必ず泊まりに行くそうだ。あくまでもホテルに泊まることが目的なので、近くの観光もしないという。そういう気分転換法もおもしろいだろう。私なら、ちょっと足を延ば

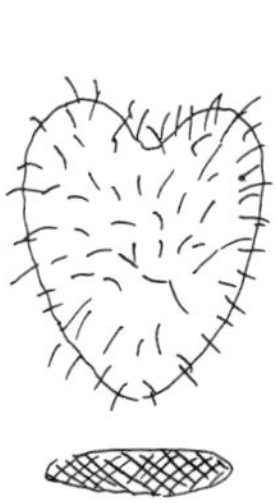

していろいろ見たくなるが。

温泉も気分転換にはもってこいだ。旅館でのんびりするのもいいし、温泉に入ることによる実際の効用もある。また、温泉地は風光明媚《ふうこうめいび》なところが多いので、自然にふれて疲れた心も回復する。

一泊すると、時間を気にせず、ゆっくり酒を飲める。普段なら終電の時間を気にしながら飲んでいる。しかも、せっかく気持ちよく酔っても、そこから家に帰るのに、また電車に乗らなければならない。このまま、ドラえもんの「どこでもドア」で、すぐに家に帰れたらどんなにいいか、と思う。

旅館やホテルなら、そんなわずらわしさがない。風呂あがりにゆっくり飲んで、あとは寝るだけだ。友人同士でも普段は話さないような話題が出たり、時間切れにならずにじっくり議論ができるのもおもしろい。

また、近場でも、電車に乗って、いつもと違う風景を見るだけで気分転換になる。窓の外の風景が変わるのを見ていると、なんとなく、「旅行にきた」という気分になるから不思議なものだ。

要は、どうやって日常生活から離れる工夫をするか、なのだ。

72 日常の中の〝非日常〟をどれだけ見つけ出すかが決め手

「買い物」も、ストレス発散のひとつである。特に女性なら、ショッピングの楽しみは、わざわざいわれなくても知っているだろう。

ある女性は、年に一回か二回は、一度に十万円くらいの買い物をするそうだ。上から下まで、アクセサリー、バッグ、靴までそろえる。ちょこちょこ買ってもあまり発散しないので、普段はあまり買い物をせず、使うときには思いきりお金を使うのだそうだ。

また、ある女性は「買い物は香港で」と決めている。日本では洋服を買わず、年に二回、香港のバーゲンの時期に二〜三泊の旅行に行く。そこで、おいしいものを食べ、何十万円とショッピングをするのだそうだ。

ブランド品でも日本よりずっと安いし、何より旅行にきていると、「もったいない」という気持ちがなくなってくるという。日本でだったら、「このコート、ステキだけどうしようかしら」と迷うところでも、二泊しかいないのだから、「えーい、買ってしまえ」となる。

大きなものをドーンと買うのが発散になる人もいるし、安いもので、量をたくさん買うのが好きな人もいる。

女性だけではない。以前、テレビ番組で、あるプロ野球の監督が、自分の「買い物好き」について話していた。ちょっとした合い間に、お気に入りのブランドの店で買い物をするのが、自分へのごほうびのようだ。

日本人のブランド好きは評判が悪いし、外国のブランド店で買いまくるのは確かにあまり上品な行動とはいえない。しかし、それが何よりのストレスの発散になっているのだ。ということは、よほど普段、欲求不満をためているのかもしれない。

もう少し普段の生活を豊かに楽しめるようになれば、海外でブランドあさりに走ることもなくなるのかもしれない。日常生活の中の非日常を見つけることに、もう少し目を向けてもよいだろう。

しかし、買い物がストレス発散になることは、私も認めるところだ。買い方に品性を保ちながら楽しめばよいのではないだろうか。

73

物の整理整頓が、気持ちの整理整頓をお手伝い

自分でも理由がわからず落ち込むときもあるが、はっきり原因があるときもある。例えば失恋だ。

ある男性は、そんなときは、その恋を思い出させるようなものは全て捨ててしまうそうだ。全てを断ち切るために、とことん捨てるのだという。彼女からもらったプレゼント、写真、デートのときによく着た洋服……。

忘れるために、こんなふうに徹底的に捨てるのもいいのではないだろうか。仕事で大失敗をやらかしたときも、それを思い出すようなものを全て処分してしまう。もちろん、無責任に結果をほうり出せということではない。けれども、もうすんでしまってしかたのないことなら、すっぱり忘れて気持ちを切り替えるために、処分するのもいいだろう。

特に忘れたいことがあるわけではなくても、整理整頓したり、掃除するのは、気持

ちの切り替えに役に立つ方法だ。

どうも仕事に集中できない、考えがまとまらない、というときに、デスクを片付けたり、いらないデータを捨てたり、ファイルを整理したりの作業をすると、妙に頭がすっきりすることがある。

もちろん、忘れていたデータで必要なものが出てきたり、あれこれひっくり返したためにアイデアが生まれたり、という現実的な効用もある。

頭を使う仕事の人には、掃除もお勧めだ。掃除は、一種の肉体労働だ。頭を使って疲れたあと、ただ何も考えずに黙々と掃除をすると、なぜか心も落ち着いてくる。床のふき掃除とか、トイレ掃除もいいだろう。お風呂のタイルや溝を黙々とブラシでこするのもいい。洗いあがったときは、気分もすっきりさわやかだ。

年末に大掃除したあとに、気分がすっきりと改まった経験は誰にもあるだろう。周囲がピカピカしていると、なぜかやる気がわいてくる。大掃除ほどでなくても、日常的に気分を改めるために掃除を活用するわけだ。

掃除なんて女性がするものだと思っている男性は、その考えを改めてほしい。掃除のできる男は、仕事もできるようになること間違いなしだ。

74

〝話せる〟友人がいる——その数だけ元気の素があるのです

私は、パーティーのお誘いがあると、なるべく出かけるように心がけている。忙しい日が続くと、家でゆっくりしていたいと思うときもある。パーティーに出かけるのがおっくうに感じるときもある。しかし、思いきって出かけてみると、必ず、「やはりきてよかった」と思う収穫がある。忙しくて疲れていたのに、久しぶりの友人に会って話がはずみ、すっかり元気になることもある。また、パーティーで知り合って、趣味などで意気投合し、親しい友人ができることもある。

パーティーの効用は他にもある。例えばある女性は、パーティーの華やかな雰囲気が好きだという。ドレスアップして出かけるということが気分をひきたてるそうだ。また、パーティーで、あまりよく知らない人の間にいるのが好きだという人もいる。身の周りの人間関係で落ち込んだときは、その人間関係から離れたい。仕事のことで落ち込んだときには、仕事とは関係のない人と会いたいと思う。

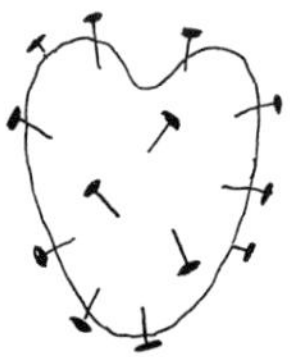

自分が落ち込んでいる原因の人間関係を知っている友人といっしょにいると、結局、そのことを話したくなり、気分が変わらない。けれども、まったく違う場所にいると、関係ない世間話や、楽しい趣味の話などで時間が過ぎていく。それがホッとするのだそうだ。なるほど、パーティーには、そんなメリットもあるようだ。

人間関係は、落ち込みの原因もつくるが、本当の意味であなたの落ち込みを救ってくれるのは、やはり人間関係だ。花や木々に心が休まるのも確かだし、神仏に祈るのもいい。精神科医に相談するのもいいだろう。しかし、究極的には、あなたの心を本当に救ってくれるのは、生身の人間、あなたの周囲にいる家族や友人だ。

だからこそ私は、普段から人間関係を広げておくことをお勧めするのである。いい友人がいれば、あなたが落ち込んだときに助けてくれる人間がそれだけいるということだ。数は多くなくても、本当に腹を割って話せる友人がいれば、それも心強い。

しかし、友人は黙って座っていてできるものではない。パーティーに出かけ、友人を誘い合って人づきあいをし、徐々に信頼関係を深めていくものである。

友人は人生の宝物だ。古くからの友人は、歳をとればとるほど大切な友人になる。しかし、いくつになっても、新しい友人はつくっていきたいものだ。

75

なにごとも最初から期待しすぎないのが得策

ペットのかわいさというのは、何ものにも代えがたいものらしい。知人の女性は、子供が「犬を飼いたい」というのに最初は反対していた。ところが、いざ飼ってみたら、自分がいちばんはまってしまったという。

子供は口ごたえもするし、思いどおりにならないこともある。しかし犬は、自分にコロコロとなついてくるし、思いどおりにならないことがあっても、最初から犬には期待していない。家に帰ってくると、うれしそうにキャンキャンと走り寄ってくる犬を抱きあげ、くぅん、くぅんとすり寄ってくる犬をなでてあげるのは、とてつもなくかわいいそうである。

また、ある女性は、「犬は私を裏切らない」という。

人間関係では、いろいろと誤解や行き違いがある。お互いに悪い人間ではなくても、対立してしまうこともある。そんなつもりはなかったのに、悪く受け取られてしまう

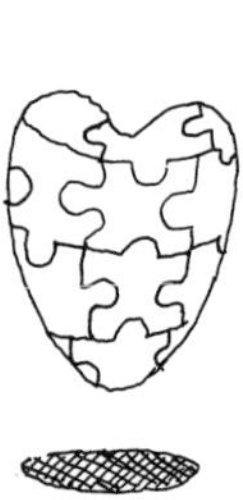

ことがある。

彼女がひとりで部屋で泣いていると、犬が寄ってきて、ペロペロッと涙をなめてくれるのだそうだ。犬は人を責めない。

「あなたにも、悪いところがあったんじゃないの」

などということもない。ただ黙って、ご主人様の悲しそうにしているところを心配してくれるのだ。

ひとり暮らしの女性で犬を飼う人は多い。人間にはスキンシップが大切であるが、ペットがその役割を果たしてくれる。また、ひとりでいると、ネガティブな考えがぐるぐると堂々めぐりをしてしまうが、ペットがそばにいるだけでも、気分がまぎれる。それだけで温かい気持ちになるものだ。

犬や猫が無理なら、ハムスターとか、鳥や金魚などでもいい。ペットと心を通わせることが、きっと、あなたの毎日を楽しいものにしてくれるだろう。

ただし、心を通い合わせられるのはペットだけ、というふうに閉じこもってしまうのは賛成できない。ペットも大切だが、人間関係も大切にしてほしいのだ。

76 悩みごとは〝書き出す〟ことで、ここまで整理できる！

ひとりで考えていると堂々めぐりするだけの悩みごとも、文章に書くと、整理されてくる。「文章を書くのは苦手だ」という人も、箇条書きでも何でもいいから、書くことを試してみてほしい。他人に見せるわけではないのだから、うまい・へたなど、気にすることはない。

さて、あなたは今、何を悩んでいるのだろうか。ちょっと書いてみよう。

「恋人が、仕事ばかりで私のことを振り向いてくれない」

「ウマの合わない同僚がいて、いつもチクチクと意地悪をしてくる」

「突然、経理課に異動になって、数字、数字でいやになる」……

そのことについての不満をもっといいたいなら、さらにどんどん書いてみよう。

「あいつのいやなところワースト10」

「今度会ったら、絶対これをいってやる」……

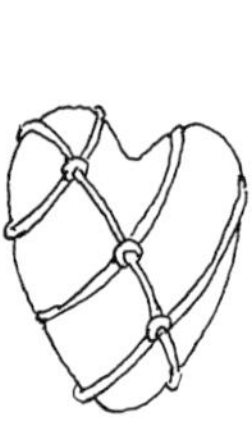

文章を書くというのは不思議なもので、書いているうちに、だいぶ気持ちがすっきりしてくる。紙の上に書いたものを読んでいると、少し冷静に見られるということもあるのだろう。また、人にしゃべっているうちに頭が整理されてくるのと同じで、書いているうちに頭が整理されてくる。

ウマの合わない同僚にうまくいえなかったことを、「今度はこんなふうにいおう」「こんないい方をすれば伝わるんじゃないか」と、相手に対する伝え方のシミュレーションにもなる。また、「これはいってもしかたのないことだな」「これはいわないほうがいいだろう」と見えてくることもある。

さらに、悩みの解決法まで考えて書き出していけば、もっと頭が整理されるだろう。考えられるかぎりの解決法、今の自分にできそうなことを箇条書きにしてみよう。どうだろうか。とにかく紙やパソコン、ワープロに向かってみよう。そのうちに、何かしら、あなたなりにうまい方法が見つかってくるはずだ。

私は、腹の立つことを書きなぐっては段ボールにポイと入れるという方法をとっている。これもなかなかすっきりする。

77

元気回復の小道具、「気に入ったセリフ」ノートをつくろう

私はメモ魔で、なんでもかんでもすぐにメモをとる。講演や原稿に役だちそうなことがあると、メモしておく。

メモしたまま、何にもならずに終わってしまうこともあるが、役だつこともある。しかし、メモすること自体が楽しいので、それだけで役にたっているともいえる。

今の時代はたいていシステム手帳などを持っているから、どんどんメモをしたらいい。空き時間は意外にあるものだ。喫茶店で待ち合わせのときでも、電車に乗っているときでも、手帳とペンさえあればいい。電車で前に乗っている人の観察や、○○駅のどこに何があって便利だとか、そんなこともメモしておくのである。

また、感動したセリフや、印象に残ったことなどをメモしておくのもいい。テレビを見ていて、心に響いたこと、新聞や雑誌のインタビューを読んで共感したこと、好きな小説のセリフ……。

切りぬいて、切りぬきノートでもつくってはりつけておくのもいいだろう。たまってくると、それだけで楽しい。落ち込んだときに読み返すと、あなたの心に響くセリフたちが、きっとなぐさめてくれる。

また、たくさんの切り抜きがたまってくると、それが自分のカラーを表していることに気づいてくるはずだ。あなたが好きなこと、あなたが大切にしていること、あなたの心を打つこと。それがそのまま、あなたのパーソナリティであり、あなたの心の本質を表していることが感じられるはずだ。

何かひとつのテーマ、あなたがこだわり続けていることが浮かびあがってくることもあるだろう。もし、小説を書いたり、絵画を描いたりする才能のある人なら、それがその人の表現になる。しかし、そういう能力がなくても、集めればいいのだから簡単だ。

切り抜きノートを見ていると、「そういえば、この頃は、こんなことを考えていたな」と思い出すこともあるだろう。まるで日記のように、自分の考えが変わってきている跡が見られることもあるかもしれない。

メモ法といっしょにやってみてもいいと思う。

78 「一期一会」の精神が心のアンテナを刺激する

知人に、美術展に出かけるのが好きな女性がいる。友人といっしょに行くこともあるが、ときどき、ひとりで行くのも好きなのだそうだ。

友人といっしょに行くと、あとで感想を話し合ったりするのは楽しい。けれども、見る速度が違ったりして気を使うこともある。自分はもう少しゆっくり見たいと思っても、友人がさっさと行ってしまうと、あまりのんびりしているわけにもいかない。

そこで、ひとりで出かけるようになって、また別の楽しみを見つけたという。それは、美術展で、知らない人と言葉を交わす楽しみだ。例えば、気に入った絵を見ていると、同じように、ずっとそこに立っている人がいる。

「きっと、この人もこの絵が好きなんだな」と共感し、ちょっと言葉をかけてみる。

「ステキですね、この絵」というと、向こうもうれしそうに言葉を返してくれる。

そんなふうに、たまたまそこで出会った人と、その時間だけ同じ気持ちを共有して

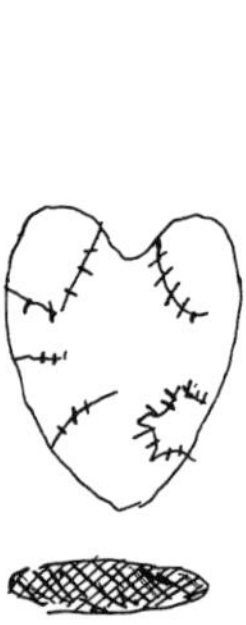

言葉をかわせることがうれしいのだという。

誰にも経験があるのではないだろうか。旅先で、その土地の人に声をかけてもらったとき、道がわからなくなって聞いたら親切に案内してくれたとき。初めて会って、たぶんもう二度と会わないだろう人と一瞬だけ言葉をかわせたことで、温かさを感じることがあるはずだ。

電車が突然止まって、その車両の人とお互いに「困った、困った」と話し合うことがある。それまでは全く他人で、みんな知らんぷりで乗っていたのに、急に「同志」のような連帯感が生まれるからおもしろい。

しかし、いつでもその機会があるわけではないし、ましてや電車の突発事故など、いつあるかわからない。喫茶店などでは、静かにコーヒーを飲んでいる人に話しかけると迷惑に思われることもあるかもしれない。都会だったら「なんなの、この人」と、うさんくさい目で見られることもありそうだ。

そう考えてみると、美術展というのは、なかなかいい。好きな絵を見ているときは、心も自然に開かれている状態だ。忙しい気分であくせくしている時間でもない。あなたも、美術展に出かけてみてはどうだろうか。

79

たかが趣味、されど趣味の癒し効果

落ち込んだときに、音楽を聴く人は多いだろう。ある女性は、好きなアーティストの歌詞に共感し、いつもその歌を聴くたびに、「私の気持ちをこんなにぴったりわかってくれる人がいる。私はひとりじゃないんだ」と感じるという。

また、別の女性は、落ち込んだとき、必ず漫画『ちびまる子ちゃん』の第一巻を読むそうだ。彼女によれば、ちびまる子ちゃんを読んでいると、やさしい気持ちになったり、私もこんなことがあったなと思い出したりする。一巻がいちばん思い出が濃厚に出ているので、好きなのだという。

彼女はあるとき、病気で入院した友人に漫画をたくさん持っていった。その友人は他の患者さんといっしょの部屋だったので、みんな喜んで回し読みをした。中でもいちばん人気だったのが『ちびまる子ちゃん』だったそうだ。

人気のある作品はどれもそうだが、「わかる、わかる」という部分がある。自分の気持ちと共感する部分があるから、ホッとしたり、癒《いや》されたりする。

たとえ問題の解決にならなくても、「わかってもらえた」ということで気分がおさまる。少し楽になる。「おれもそうなんだよ」「あなたも同じなのね」といってもらうことが、どれだけうれしいことか。

そして、音楽や小説、漫画や映画がその役割を果たしてくれることがある。あなたのつらい気分をぴったり表現してくれているものや、幸せだった子供時代を思い出させてくれるものだ。

あなたにとって、ぴったりくるのは、どんな音楽や映画だろうか。あなたと同じような感性を持った人間が表現している作品がきっとあるはずだ。

そんな作品にたくさんめぐり合えれば、それだけ落ち込んだときに励ましてくれるものが多くなる。自分と似た感性を持った作品にたくさん出会うために、たくさんの映画を見たり、本を読むのは、普段からやっておきたいことだ。

気分転換に「新しい映画を見に行く」という人もいた。お気に入りの監督の新作を見るとか、お気に入りの作家の新刊を読む。自分の好きな趣味の世界で、また新たな作品にめぐり合う楽しみも、気分転換に大いに役だつだろう。

80

「どうにもならないとき」は、こんな〝部外者〟の言葉に耳を傾けてみる

迷って迷って迷い抜いて、それでもどちらに進むか決められないときは、サイコロでも占いでも何で決めてもいい、とにかく動き出すことが必要だ。

こんな経験がないだろうか。あなたが何か問題を抱えていたとする。あるとき、そんなことを何も知らない人が、ふといった言葉が、あなたへのぴったりのアドバイスだったということが。不思議なもので、その人の状況をよく知っている友人のアドバイスよりも、そんなふとした言葉が役にたつ。「何かいいことを教えてやろう」などとちっとも思っていない人が、救いの言葉をいってくれることは多いようだ。

神社のおみくじも、不思議にそのときにぴったりのものが出ることがある。ある女性が、どうしようもなく落ち込んで、とうとうめったに行かない近所の神社に足を運んだ。そして祈るような気持ちでおみくじを引いたところ、「困ったときだけ神に頼るな」と書いてあったそうだ。

「困ったときに頼るのが神様じゃないの？　困ってないときまで神様になんか頼ってどうするんですか」

という彼女の言葉も、もっともだ。普段は信心の「し」の字もない人間がきたので、神様もちょっと厳しくしてみたのかもしれないが。

それはともかく、神社のおみくじをひいてみるのも気分転換になるだろう。思わずうなるくらいぴったりのおみくじが出れば、それで納得する。行動の指針に決心がつくこともあるだろう。

さらに、このおみくじ方式を家の本棚の前でやっている、という女性もいる。彼女は、気分が憂鬱《ゆううつ》になったり、気持ちの整理がつかずにモヤモヤしているとき、本棚の前に立って、目にとまった本を一冊、手にとるそうだ。

そして、パッと開けたページに書いてあることを読む。不思議に、そんなとき開いたページには、そのときの気持ちに整理がつくような言葉が出てくるそうだ。

東洋の易《えき》のようなものだ。漠然と開けてみるのもいいが、易のように何かはっきりしたおうかがいをたてて、本を手にとってみるのもおもしろいだろう。遊び気分でやってみるといい。どんな言葉が出るか、どう解釈するか、あとは自分の判断だ。

81

「別のキャラクター」が出せる人間関係の中に入ってみよう

悩んでいきづまったときというのは、今の状況、今の環境の中で解決のつかないことも多い。環境が変わらないのに自分だけが変わるというのはたいへんなものだ。

それでは、天才ではない凡人は、どうすればいいのか。

私はそんなとき、一時的にでもいいから環境を変えてみるといいと思う。もちろん、職場を変える勇気と実行力のある人は、それもいい。

例えば海外旅行に行く。まったく違った環境の中に一時的に自分を放り込むのである。海外に行くと、日本の常識が通用しない。それは、日本の常識でがんじがらめになった頭が、少し解放されるということでもある。

狭い日本の中の、狭い会社の中の、狭い人間関係で悩んでいたことがバカバカしく思えてくることもあるだろう。日本に帰れば、また同じ環境が待っているとはいえ、いったん視野を広くしたあとでは物事の見え方も違ってくる。

また、今までになかった新しい人間関係の輪の中に入っていくのもいい。ある人間関係の中では、あなたの役割、あなたのキャラクターはどうしても固定化してしまう。いつも同じ役割をとることになり、それが悩みのもとにもなる。もっと自分の違う面を出したいと思ってもそれが難しい。

しかし、海外に行ったり、全然違う人間関係の中に入れば、今までと違う新しい自分を演じられるし、発見できる。ちょっぴりハメをはずすこともできるだろう。

高校を卒業して、自分のことを誰も知らない東京に出てきて、それまでの自分を大変身させたという人がいるのではないだろうか。それと同じことだ。

また、自分の気に入っているキャラクターを演じられる人間関係の中に行く手もある。あなたが持っている人間関係、たとえば家族、高校時代の友人、職場の同僚、趣味のサークル。それぞれの中であなたのイメージは、どれも一定だろうか。

あるグループの中では、世話好きのめんどう見のいいタイプと思われていたり、別のグループの中では、おとなしいタイプと思われていたり。

ある人間関係の中でうまくいかないことがあって落ち込んだなら、別のキャラクターを演じられる輪の中に入ってみよう。少しは気分が変わるはずだ。

82

こりかたまった心をときほぐす「〝だいじょうぶ〟宣言」

悩んだり、落ち込んだりする人は、自分にも他人にも厳しい人が多い。「なんとかなるさ」と思いながら適当に生きていて、うつ状態になる、ということはない。

しかし、こういう人に、「もうちょっと肩の力を抜いていいんですよ」「もう少しいいかげんになってください」といったところで、「はい、そうですか」といいかげんな人間に変身できるものではない。彼らは、約束の時間に遅れてくるいいかげんな人間に腹をたて、期限どおりに仕事をしない部下に腹をたてる。

彼らは、いつも迷惑をかけられるほうだ。自分は約束の時間どおりにその場所に行き、人様に迷惑をかけないようにがんばっているからだ。そして、そういう人間のほうが、いいかげんな人間よりずっといいと思っている。迷惑をかける人間より、かけない人間のほうが偉いと思っているのだから、なかなか変わりようもない。その人が今まで自分が「よくないことだ」と信じてきたことをしなければならないのだから、

たいへんだ。

自分のことがとことんいやにならなければ、人間、そう変われるものではない。

そこで私は提案したい。違う人間に大変身しなくてもいい。あなたは今までどおりの人間でいい。しかし、自分が「こうでなければならない」「こうしなくては」「こうあるべきなのだ」と固く信じてきた信念を、少しずつ柔軟にしてみよう。

いきなり反対の価値観を信じろといわれても無理だ。そんなことをしても、ひとつの極からもうひとつの極へ極端に移動しただけで、本質的には変わらない。

それよりも、「Aであってもいいし、Bであってもいい」「ときにはCでもいい」「必ずしもDでなくてもいい」というくらいに、考え方の幅を広げてみよう。

あなたの悩んでいることには必ず、「こうでなければ」という信念がからんでいるはずである。その思い込みを、なしくずしにしていくことから始めてみよう。なしくずしにするために、「○○してもだいじょうぶ」と呪文のように唱えてみよう。

そこで、次の項から「〝だいじょうぶ〟宣言」を考えてみた。あなたの気持ちを楽にしたいとき、この呪文を唱えてみてほしい。カチカチに固まった心をほぐして軽くするために、「なーんだ、これでだいじょうぶなんだ」とつぶやいてみよう。

83

スランプになっても、あせらないでだいじょうぶ

棋士の米長邦雄さんは、スランプについてかなり厳しい見方をしている。「スランプにおちいるのは、好調なときに遊んでしまうから」というのだ。

人間、好調なときは、やることなすことうまくいくので、ついつい図にのってしまう。悪い将棋をさしても勝ってしまうので、酒を飲んだりカラオケをしたりして、勉強を怠る。しかし、好調時は必ず去る。今までは実力以上に勝っていたのを実力とカン違いしていたが、今度は、実力では劣るはずの相手に負けてしまう。そういう人間にかぎって、そこであわてて勉強し直すのだという。

真実をついた言葉だと思う。もしもあなたが、調子のいい波に乗っているときに決して遊びすぎず、勉強を怠らず精進していれば、不調の波がやってきたときも実力レベルのラインをキープしていけるだろう。大きなスランプに落ち込むことはない。

しかし、世の中にそれほどデキた人間が何人いるだろうか。そんな理想的な生き方

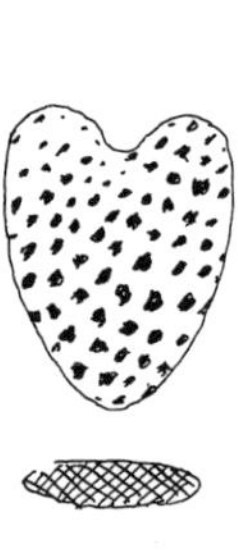

を最初から楽々とできる人間ばかりのはずがない。好調なときには遊んでしまい、不調になってハタと後悔するのが普通の人間というものではないだろうか。もう少し気楽に考えてもいいのではないだろうか。

人生の好調時は、神様が与えてくれた「休み時間」と思えばいい。そして、不調時は「授業中」とでも思っておけばいい。授業を受けたあとには必ず昼休みがある。昼休みが終われば必ず授業が始まる。いい思いをしたり、つらい目に遭ったりしながら、なんとか生きていけばいいではないか。

スランプにおちいったからといって、「あのとき、ああしておけば」と後悔しなくてもいい。不調になってから、泥縄で対策を考えたっていい。好調なときにも気を抜かずにがんばっていた人に比べたら一歩後れをとるかもしれないが、あなたのペースでのんびりやっていけばいいではないか。

メキシコの元プロボクシング選手、ルーベン・オリバレスは、バンタム級で世界タイトルをとったが、そのタイトルを、あまり長く保持できなかった。稼いだファイトマネーで遊びまくり、節制も精進もしなかった。その彼の言葉である。

「練習していた時は無敵だった。遊興に負けた。でも、人生ってそんなもんだろ？」

84 落ち込んだら、ジタバタしてもだいじょうぶ

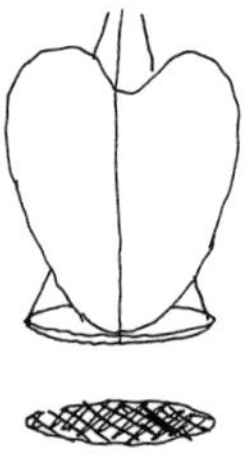

「今、落ち込んでいるんだ」

もしもあなたがこんなことを一言いったら、百ものアドバイスを聞かされることだろう。プロ野球などがいい例だ。選手がスランプにおちいると、テレビも新聞もこぞって、そのスランプの原因を探りたがる。バットの位置が悪いとか、グリップがどうのとか、私生活が悪いなど……。

周囲の人間は、親切心でいっている。やさしい心から、あなたにアドバイスをしてくれる。もしもあなたが、せっかくの忠告を素直に聞かないと、気を悪くするかもしれない。「人のいうことは素直に聞くものだ」と説教するかもしれない。

もしかしたら、その中でひとつくらい「当たり」があるかもしれないが、しかしまあ、たいていは、スランプのときというのは何をやってもダメなのである。バットの位置を変えてもグリップを変えても、私生活を変えてみても、よくならない。何をや

ってもよくならないからスランプなのだ。

こんなときは、あまりジタバタしなくてもいい。黙ってジッと耐えているうちに、不調の波が去っていく。あせりは禁物だ。他人のアドバイスを聞くのは、ほどほどにしておいたほうがいいだろう。

結局、最後には、あなた自身で答えを見つけるしかない。あなただけが、自分がスランプからはい上がる方法を知っているのである。他人はいろいろわかっていそうに見えても、そうではない。最善の知恵は、あなたの中から出てくるものなのだ。

しかし、それが出てくるまでには迷いが必要なときもある。他人の助けも必要である。あなたなりの迷い方、あなたなりのバカさかげんを発揮して、大いにジタバタするのもいいだろう。あなたが、どんなふうにジタバタしたか、不調から回復したとき、それが全て、あなたの大切なストーリーになるだろう。

本当のどん底から立ち上がった経験のある人は、今度はどん底にいる他人をサポートできる力を身につけるようだ。それは決して言葉によるアドバイスではないかもしれないが、きっと、今のあなたのような人間を支えられる人間に成長するはずだ。

いいや、そんな人間に成長できるような悩み方をしてほしいと思うのだ。

85

働きすぎたら、休んだってだいじょうぶ

病気になったことを「人生の挫折」のように感じたり、自律神経失調症になっただけで、自分を「社会不適応者」と思い込む人もいる。しかし、病気というのは、体が調整に「失敗した」結果として、なるものではない。バランスを「くずした」から病気になってしまったのではない。

こう考えてみてほしい。体のコンディションを「調整するために」病気になったのである。体の「バランスを整えるために」病気になったのである。病気は挫折ではなく、さらに前に進むための積極的な調整方法なのだ。

もちろん本当は、病気になる前に調整できるのがいちばんいい。ちょっと風邪をひいたらのんびりし、「疲れたな」と思ったらストレスを発散する。その程度で予防できればいちばんいいだろう。しかし、社会で生きていれば、本当は休みたくても休めないときもある。

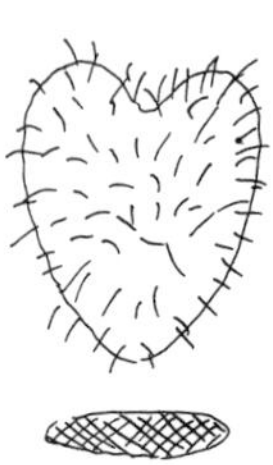

あなたが、入院するほどの病気になったのならラッキーだ。そんなチャンスでもなければ、会社を長期にわたって休むことなどめったにできない。そのチャンスを大いに楽しんで、ゆっくり骨休めをしよう。

「おれひとり、こんなところで何をやっているのだ」と悲観的な気分になってきたときには、気分転換に、入院生活を積極的に楽しむ趣味を考えてほしい。ちなみに私が発案した入院中の趣味は、「オシッコ観察」であった。私は前立腺の病気だったので、手術のあと、膀胱《ぼうこう》に管を入れて尿を袋にためていた。ポタポタとオシッコが出てたまってくるのが自分で見える。

それを見るともなく観察しているうちに、お茶を飲むと何分後にオシッコが出てくる、というようなことがわかってきた。健康なときには、そんなことが目に見えてわかるわけではない。これは病気ならではのおもしろさだと、それからはオシッコ観察に精を出した。これが入院生活を楽しくさせてくれたことは確かだ。

もちろん、もっと重病で、楽しんでいる余裕などない場合もあるだろう。しかし、この本を読めるくらい余裕のある患者さんであれば、ぜひ、入院生活の中でも何かひとつ、楽しみを見つけてみてほしい。

86

病気になったら、こんなふうに考えればだいじょうぶ

病気の原因というのは、実のところ難しい。節制したからといって、必ずしも健体が保てるとはかぎらない。また、病気をしたからといって、「自分は体が弱い」と思い込むこともない。病気をしたことによって、体が丈夫になる例もあるのだ。

例えば私は、子供の頃、しょっちゅう風邪をひいて扁桃腺《へんとうせん》を腫《は》らしてした。小学校四年生のときには、腸チフスにかかってしまった。原因は、目黒にあったイチゴ園に行ったときに食べたイチゴが、よく洗っていなかったらしい。

当時のチフスといえば、命を落とすことも多かった病気である。私は二か月ほど寝たきりになり、高熱で足腰が立たない状態になってしまった。

ところが、運よく助かってみると、私はすっかり丈夫な子供になっていたのである。それまで風邪ばかりひいていた、ひよわな自分が嘘のようだった。

医学的には、どう説明していいのかわからない。しかし、ひとつの病気を克服した

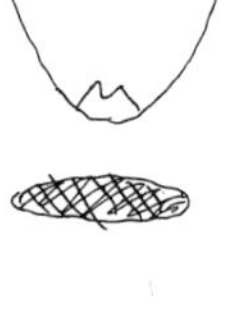

ことで、体内に何か特殊な力が備わったのかもしれない。それまでの病気の原因になっていた何か悪いものを、全部出しきってしまったのかもしれない。人間の体には、現代医学では説明しきれない神秘的なところがあるようだ。

これは私が体験した例なので、今現在、どうも病気がちだという人もそうだとはかぎらない。人間、先はどうなるかわからないものである。

病気にかぎらず、「おれはいつもふんだりけったりの目にばかり遭っている」という人も、いつかドカンと不幸にあったら、すっきりさっぱり、幸せな体質になってしまうかもしれない。大きな不幸を乗り越えたら、「これ以上悪いことなんてないさ」という度胸がついて、ささいな不幸ははね飛ばす力がつくかもしれない。

なんだか自分ばかりがイヤな目に遭うような気がしてならない人は、風邪ばかりひいていた、ひよわな子供時代の私を想像してほしい。きっと、いつか必ず、そんな時代は終わるのである。

元マラソン選手の増田明美さんが、テレビでこんなことをいっていた。

「挫折したときは、階段の踊り場で休んでいると思えばいい」

病気も階段の踊り場なのである。

87 みんなが働いているとき、遊んだってだいじょうぶ

自由業の仕事をしている知人が、

「ウィークデーに休んでいると、どうも罪悪感を感じる」という。彼は、まったくフリーランスで仕事をしているので、自分で休日を都合して遊びに出かける。

ウィークデーはどこもすいているので、スキーなど、リフト待ちをしたことがないという。土・日曜日しか休めず、いつも混雑したレジャースポットしか知らないサラリーマンからみれば、うらやましいかぎりだろう。

ところが彼は、「みんなが一生懸命働いている日に、自分だけ遊んでいていいのだろうか」と、ちょっとした罪悪感を感じるというのだ。そして、日曜日に汗水たらして働いていると、「みんな遊んでるのに、なんでおれだけ日曜日に仕事をしているんだ」という気持ちになるのだという。

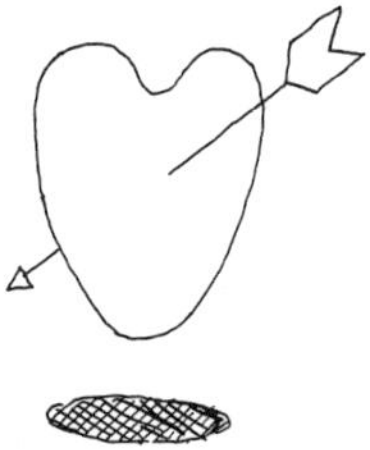

「みんなと同じことをしていないと落ち着かないという、日本人的性格なのだろうか」

と彼はいうのだが、その気持ちはわからないでもない。

大半の人間がやっている行動というのは、無言の圧力となるものだ。よほどのマイペース人でないかぎり、他人のやっていることは気になるものだ。多少は他人のことが気になる性格のほうが、人間づきあいも上手にやっていけるだろう。

しかし、いつでも大半の人がやっていることが正しいとはかぎらない。あなたには、あなたの「正しい行動」がある。ときには、大半に逆らっても、あなたにとっていちばんいい行動をとる必要がある。みんなが働いているからといって、自分が休んでいてもかまわないのだ。

あなたにも、自分では気づかずに、誰かの行動に合わせていることはないだろうか。少しも疑いを持たずに、ただなんとなくみんなの行動に合わせていることはないだろうか。みんなと違うことをしているときに、ふと、「これでいいのだろうか」と思うことはないだろうか。そんなとき、自信を持って「これでいいのだ」といえるように、自分にとっての「正しい行動」の指針を確立しよう。周囲の影響から抜け出そう。

88

頑張りすぎたら、立ち止まってもだいじょうぶ

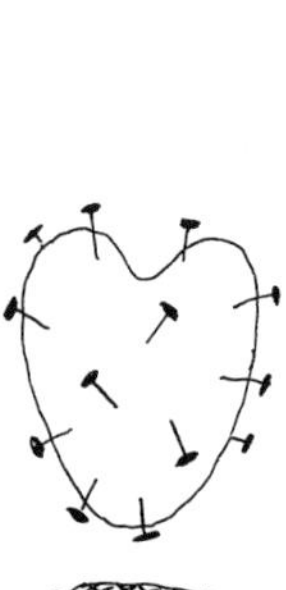

一日の疲れは、その日の夜に休んで回復し、次の日の朝は、また元気に仕事に出かける。一週間の疲れは土・日曜日に解消して、月曜日にすっきりした頭と、しゃっきりした体で出かけていく。本当はそれが理想だ。しかし現代のサラリーマンは、仕事につきあいにと忙しく、一週間の疲れがとりきれないうちに月曜日になり、さらに疲れがたまって次の週になり……と、徐々に疲れをためていく人も多いようだ。

ストレスでうつ症状が出ている人や心身症の人に、長期の休暇をお勧めすることがある。しかし、こういう人にかぎって、長期休暇をとることに罪悪感を感じていて、なかなか休もうとしない。みんな忙しいのに自分だけ休んでいては申しわけない、などと考える。

「あなたひとりいなくなっても、会社はちっとも困りませんよ」

といってあげたいところだが、そんなことをいったら、ますます落ち込んでしまう。

こういうタイプの人は、自分で自分に〝根回し〟することが必要だ。「休んでもよい」と自分が納得するように、自分を説得してみてほしい。例えば、こんなふうに。「このまま疲れをためたら、いつかは大事故が起こる。大事故になる前にゆっくり休んでオーバーホールをしておくほうが、より小さい被害ですむではないか」「健康管理をすることも仕事のうちだ。このままの状態で能率の悪い仕事をしているより、思いきって休んで、また元気になって取り戻すほうが会社のためにもなる」

ヨーロッパの人たちが長いバケーションをとることは、よく知られている。特に四十歳以上は長い休暇が必要だと考えられている。たっぷり休んで遊ばなければ充電できないことを、彼らはよく知っているのだ。

最近は日本でも「リフレッシュ休暇」の制度をとる会社が増えてきた。勤続年数十年で、何年かに一度、連続二〜三週間の休暇をとれるシステムである。

中間管理職を対象に、三か月間という長期休暇をとる制度を実施しているところもある。これからは、日本もどんどん休んで遊ぶ時代になってくるだろう。

あなたも、「休んでもだいじょうぶ」に頭を切り替えれば、それだけでぐっとストレスが減ること間違いなしだ。

89

忙しくても、「いい忙しさ」にすれば だいじょうぶ

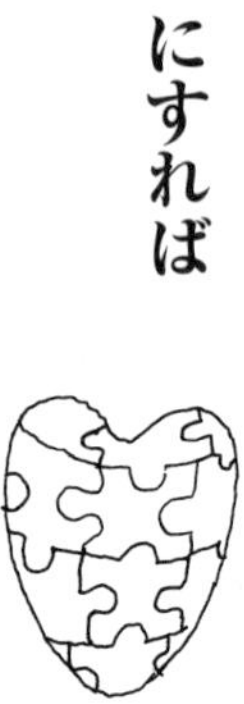

日本人は働きすぎだ、働きバチだ、くそまじめだ。遊びかたを知らない。定年になってからすることもない……などとやかましくいわれ始めて久しい。

まじめな人たちは、そんな風潮を感じると、「これまでの人生は何だったのか……」と、ふとむなしく感じることもあるのではないだろうか。「私も、もっと心のゆとりを持たなければ」と、〝まじめに〟遊ぼう、遊ぼうとしてしまうかもしれない。

しかし、ちょっと待ってほしい。確かに遊びは大切だが、まじめに、「遊ぼう、遊ばなければ」とやっているうちは、いくら遊んでみても、本質的に変わっていない。仕事をしているときもはりつめて、今度は遊ぶことにはりつめて一生懸命やっている。何もそこまでまじめにならなくてもいいのだ。

もしもあなたが、今まで働きバチのように一生懸命仕事をしてきたのなら、それはそれでいいではないか。忙しすぎた自分の人生をほめてやればいい。人生の一時期、

他の何かを犠牲にしてがんばれることがあった人は、幸せである。そのツケが回ってきたら、そのとき支払えば、それでいいのだ。

私は、忙しさにも「いい忙しさ」と「悪い忙しさ」があると思う。では、それはどんな場合か。

もしもあなたが「誰かに使われている」ような気がしているなら、それは「悪い忙しさ」だろう。あなたは、自分でやりたいことをやっていない。いつも誰かに命令されて、やりたくもないことをやっている。それは時間に使われているだけで、自分で時間を使っていない。

しかし、あなたが自分からその忙しさを選び取っているなら、それは「いい忙しさ」だ。あなたは自主的に時間を使っているのであって、時間に使われているのではない。いくら忙しくても、自分がやりたいことで積極的な意味を持った時間なら、何の後悔もないはずだ。

もし、「悪い忙しさ」におちいっているなら、ちょっと立ちどまって、自分が本当にやりたいことは何なのかを考えてみるのもいいが、このように開き直ってしまうのもいいのではないか。「忙しくたって、まあ、そのうちなんとかなるだろう」

90

歳をとっても、老いぼれても だいじょうぶ

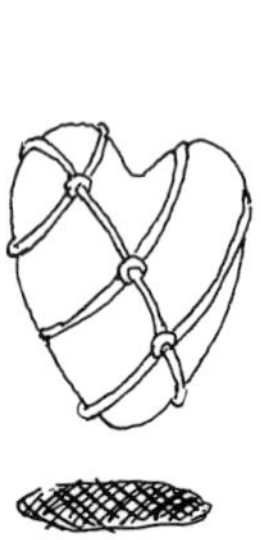

頭脳と身体の老化を感じると、人間、誰しもショックである。私自身は、まず第一に眼にきた。五十五歳のとき、急速に老眼がやってきて、生まれて初めて眼鏡というものをつくった。一生、眼鏡なんていらないと思っていただけに、ちょっとしたショックだった。

次のシグナルは、脚にきた。若い頃は山登りをやっていたし、趣味は散歩の私だ。脚は若い者にも負けないなどと自信を持っていた。ところが驚いたことに、六十歳を過ぎる頃から、階段を上がるときに脚がガクガクしたり、ギュッと痛みを感じるようになったのである。こんなことは初めての経験だ。はっきりと自分の老化を感じて、正直いって、しばらく憂うつな日が続いたものである。

また、男性なら、歳をとってくると、小水を出すのに、若い人の二倍くらい時間がかかる。後ろに並んでいる若い男性の視線を感じて、恐縮するものである。

それでは、こうした老化を感じてきたら、どうするか。まずは、その体に慣れることだ。無理して若い頃と同じように山登りをしようとしても、体は元には戻らない。しかし、だからといって、まったく体を動かさなくなってしまっても、老化が早まるばかりだ。使わないものは、どんどんダメになる。脳細胞でも体でも同じだ。「廃用性萎縮《いしゅく》」という言葉がある。使わないと萎縮するという意味だ。硬いものを食べなければ歯は弱くなる。頭も使わなければ脳細胞が減少していく。脚も使わなければ筋肉が細くなるばかりだ。

私は今も、なるべくエスカレーターやエレベーターに乗らず、歩くようにしている。階段でつまずいて転ぶこともあるが、あまり気にしない。若い頃と同じようにはいかないが、それでいいのである。今だって充分、歩けるのだから、歩ける分だけ歩けばよいと思っている。老眼鏡だって、ひとつ新しい世界が広がったと思えば楽しい。

歳をとることは一種の挫折感があるが、人生の新たな側面への体験と思えば、新しいことへのチャレンジである。老化へのチャレンジ精神で迎え撃ちたいものである。

大事なことは、年相応の状況を自ら認識することなのだ。

91 人間嫌いになってもだいじょうぶ

気分が落ち込んでくると、人に会うのがいやになる。

特に、初対面の人は、相手のペースもわからず、つきあうのにかなりエネルギーを必要とする。自分のエネルギーが低下しているときには、おっくうに感じるのも当たり前だ。また、上司の顔を見るのがいやになってきたり、夜のつきあいがわずらわしくなったり。それまでは同僚と帰りに一杯やるのが当たり前だったのが、急にめんどうになってくる。

そんな人の話を聞いていると、普段は人並以上に人づきあいのいい場合が多い。人づきあいがよく、人にも好かれるのだが、それだけに、こまかく気を配っている。しかし、不調のときにはそれができない。それで、人に会うのがめんどうになってくる。

また、周囲の人に頼られている場合も多い。何かあると、みんながその人にアドバイスを求める。そんな人が不調におちいったときは、たいへんである。

「こんなことになったのも、オレがいけなかったんじゃないか」

などと内省しすぎる。反省がなさすぎるのも困りものだが、反省しすぎる人も困る。反省しすぎると暗くなって、人とつきあう意欲がわかなくなってしまうのである。

それに、人に会って説教されるのがこわい。自分でも、「オレがいけなかったのか」と思ってるところへもってきて、さらに他人に厳しいことをいわれたのではたまらない。そこで、怒られそうな人にはとりわけ会いたくなくなり、自閉症的になっていく。

さて、もしもあなたにこんな「人間嫌い」の徴候があるなら、思いきって人間嫌いを突き進めていくのもいいと思う。無理してみんなとつきあう必要はない。大人ぶって、誰とも仲よくしなくてもいい。上司や後輩とうまくやれなくてもいい。人間関係なんか、そんなにうまくやれなくて当たり前だ。

しかし、誰かひとりくらい、あなたの話をわかってくれそうな人がいないだろうか。あなたが好きな人はいないだろうか。ひとりでも、ふたりでも、本当に好きな人とだけつきあえばよいではないか。あとは適当にしておけばよい。人間関係を上手にやろうと努力することなど、やめてしまおう。きっと気持ちが楽になるはずである。

92

苦しいときは、頼っても甘えても だいじょうぶ

人に甘えてはいけない。依存してはいけないと思って、ひとりでがんばりすぎる人がいる。最近では「自立」という考え方が浸透してきて、「自立」しなければならない。マザコンやファザコンはいけないという風潮が強い。しかし、ときには人に甘えることも必要である。

小さいときにたっぷり親に甘えて育った子供は、意外に親離れが早い。ところが、何かの事情で親に十分甘えられなかった子供は、大人になっても「甘えたい」という気持ちが残ってしまう。甘え足りないのである。小さいときから、自立だ、過保護にしてはいけない、とギリギリやりすぎるのも害があるのだ。

また、子供にも大人にも「転機」がある。今までより一段と大人になる、成長の節目だ。何か新しいことに挑戦したり、今までとまったく違う道に踏み出すときだ。

さて、そんなとき、人間は少し甘えたくなるものである。新たな自分になって再出

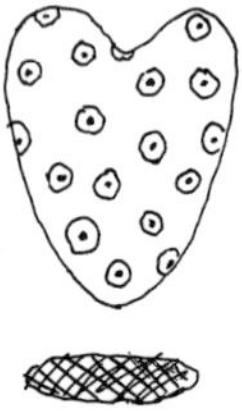

発する前に、いっぺん子供に返って依存したい。そこで十分に甘えて初めて、もうひと回り成長して立ち上がることができるのである。こんなときは、周囲のサポートが必要だ。ひとりでほうっておいて「がんばれ」というより、甘えてきたら、甘えさせてやるとよい。手を出して助けてやる必要はないが、気持ちの上ではいっしょにいてやる。そんなサポートを何より必要としているときなのだ。

大人であればあるほど、「人に甘えられない」と思っているので、なかなか、うつから回復しない。グチや不安を口にしたりできれば回復も早いのである。

もし、あなたが、今まで人に頼らず、甘えずに生きてきたのなら、ときには人に甘えてみてもいい。あなたが不安を口にすれば、きっと理解を示してくれる人がいる。何もかもひとりで背負うのはやめて、大いに弱音をはきなさい。

周囲の人には、あなたの悩みをいっしょに背負ってくれる力がないと思うのは間違いである。解決はしてくれなくても、友人でいてくれる力は誰にもある。やさしい言葉や温かい言葉をかけてくれる人はたくさんいるはずだ。

困ったときには、誰かに頼ればいい。そう思えば、何もこわいことなどないではないか。

93

いまのままで生きていってもだいじょうぶ

知人の女性が、結婚して六年、まだ子供ができないことで悩んでいる。検査をしたが、夫婦ともに身体に異常はない。あとは精神的な問題だけといわれたそうだ。彼女は、とても周囲に気を使い、みんなに合わせる協調的な性格である。ご主人のご両親と同居しているが、ふたりにもかわいがられ、関係もうまくいっている。決して、舅《しゅうと》や姑《しゅうとめ》と同居することを、うっとうしがったりもしていない。

しかし、そんな彼女の「いい子」な性格、「優等生」な性格が、実はプレッシャーとなっているのではないかと医者にいわれたのだそうだ。もっと自分のやりたいようにやりなさい。家事も、ご両親に気に入られるように完璧にやらなくてもいい。そのほうが、心身がリラックスして子供もできやすくなるだろうというのだ。

彼女も、同居をやめて夫婦ふたりだけで生活することも考えた。しかし、やはり、もう六十歳を超えたふたりをほうっておくわけにはいかない。

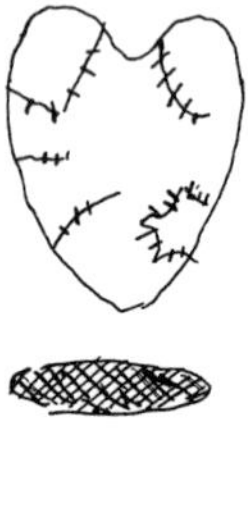

「ちっとも意地悪されたわけでもないし、かわいがっていただいているのに……」

彼女はそこでまた悩んでしまった。

そして、どうしたら「いい子」でなくなれるかを悩んでいるのである。

みなさんの中にも、こんな真面目な人がいるかもしれない。

そこで私は、そんな人にこういいたい。それなら、「いい子」のままでいいではないか。あなたは、「いやな子」の自分をいつも責めて、「いい子」であり続けようとしてきた。そのうえ、「いい子」の自分まで責め始めたら、いったいどうやって生きていけばいいのだ。

あなたは今まで、充分、よくやってきた。「いい子」であったのがいけないわけがない。あなたが「いい子」なのを責めている人は誰もいない。医者がそういうのは、「悪い子になってもいいんですよ」ということなのだ。

悪い子になっても、あなたはきっと、だんな様にもご両親にも愛されるだろう。けれども、いい子であるのがいけないわけではない。

もしも「いい子なのがいけない」などとゴチャゴチャいう人が周囲にいるのなら、そんな人はほうっておきなさい。

94

自信を持って生きていくには、
この気持ちの〝ハンドル〟さばきが欠かせない

私は飛行機に乗るのが大好きで世界各地を旅行しているが、北国の芝生《しばふ》は南国の芝生より青々として美しい。温室栽培では、芝生は青く強くは育たないのである。ほどほどの厳しさが必要なのだ。もしもあなたが今、厳しい環境にあるなら、「きっと青々とした美しい芝生になるためだ」と思ってみてはどうだろう。

「これは、おれに合っていない環境なのだ」と恨まずに、

「これがおれには、ほどほどの厳しさなのだ」と思うように心がけてみよう。

精神科医の間で、以前「ハイテン・パニック」という言葉がよく使われた。これは「配置転換パニック」のことで、突然の人事異動にパニック状態になった人をこう呼んだ。

ハイテン・パニックになる人は、いわゆるエリート・サラリーマンに多い。それまではとんとん拍子に出世コースを歩んできたのに、突然、地方転勤などを命じられ、

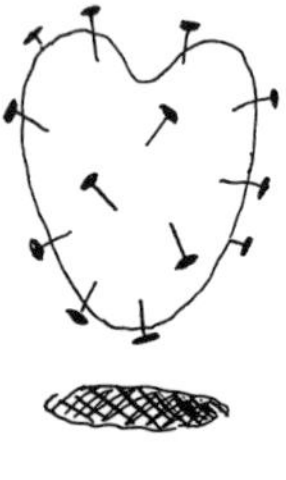

「いったい、おれのこれまでの人生は何だったのだ……」と落ち込んでしまう。

今まで温室で育っていたので、いきなりずかずかと踏みつけられて、すっかり荒れてしまった芝生のような状態だ。若い頃から踏まれ慣れている人は強いから、こうはならない。しかし、惜しくも若い頃は苦労せずに、中年になって挫折感を味わってしまった人でも、「おれはもうダメなのでは……」とがっかりする必要はない。今から、踏まれ強い芝生になればいいのである。「今からでは遅い」とか「もうやり直しがきかない」と思ったら、本当にそれまでだ。

「おれは、この歳で厳しい状態に置かれるのがぴったりの芝生だったのだ」と思えばいい。実際そういうものである。人間は、一人ひとり違う。人生のどの時期にどんなことがあっても、他人と比較して、いい・悪いとは決められないのである。

芝生も、寒すぎたり、人の足で踏みつけられすぎれば育たない。しかし、この「適当な量」を見つけるために、何回か失敗することも必要なのだ。肥料をやりすぎたり、厳しすぎる環境に置かれたりしながら、だんだんにわかってくるものなのだ。

枯れてさえしまわなければ、より強い芝生になってよみがえることができる。楽しみにしていよう。

本書は、新講社より刊行された『気持ちの整理の上手い人下手な人』を加筆・再編集のうえ改題したものです。

企画・編集／㈱波乗社

斎藤茂太（さいとう・しげた）

医学博士。斎藤病院名誉院長。悩める現代人を安らぎにいざなう「心の名医」を務める一方、日本精神病院協会名誉会長、日本ペンクラブ理事、日本旅行作家協会会長など、いくつもの顔を持ち、執筆や講演活動など多方面で活躍中。

主な著訳書に『口のきき方 私の人間学』『夫と妻、いい関係とってもいい話』『人間的魅力の育て方』『時間の使い方 うまい人・へたな人』『気くばりができる人 できない人』『「なりたい自分」になれる本』〈訳〉（以上、三笠書房刊、《知的生きかた文庫》に収録）などがある。

知的生きかた文庫

気《き》持《も》ちの整理《せいり》
不《ふ》思《し》議《ぎ》なくらい前向《まえむ》きになる94のヒント

著　者　斎藤茂太《さいとうしげた》
発行者　押鐘太陽
発行所　株式会社三笠書房
郵便番号一〇二―〇〇七二
東京都千代田区飯田橋三―三―一
電話〇三―五二二六―五七三四〈営業部〉
　　〇三―五二二六―五七三一〈編集部〉
http://www.mikasashobo.co.jp
印刷　誠宏印刷
製本　若林製本工場

ISBN978-4-8379-7312-6 C0136

落丁・乱丁本は当社にてお取替えいたします。
定価・発行日はカバーに表示してあります。

知的生きかた文庫

般若心経、心の「大そうじ」

名取芳彦

般若心経の教えを日本一わかりやすく解説した本です。誰もが背負っている人生の荷物の正体を明かし、ラクに生きられるヒントがいっぱい！

心が大きくなる坐禅のすすめ

中野東禅

どうか、軽い気持ちで坐ってください。「姿勢、呼吸、心」――この3つを調えるだけで効果絶大。心が大きく、強く、きれいになります。

人生の問題がすっと解決する 名僧の一言

中野東禅

人生、いかに生きるべきか――空海から道元、日蓮、一休まで……名僧が残した「名言」「人生の核心に迫った言葉」を厳選。幸せへの「最高のヒント」が見つかります。

ちょっと困った時、いざという時の「禅語」100選

西村惠信・監修
仏楽学舎・著

本書は、禅語の解説書でも、入門書でもありません。〝心の持ち方〟〝生きる智慧〟である禅語から、現代人の生きるヒントになるものを厳選、具体的な実践法を紹介！

使う！「論語」

渡邉美樹

「私は『論語』を体に叩き込んで生きてきた」（渡邉美樹）。孔子が教える「自分の夢をかなえる秘策」とは？ 現代だからこそ生きる『論語』活用法。

C50034

知的生きかた文庫

斎藤一人 変な人が書いた驚くほどツイてる話

斎藤一人

日本一の大金持ち・人生の大成功者、斎藤一人の成功法則を本人が一挙公開！　読むだけで、ツキがどんどんやってくる珠玉の言葉の数々。人生は、この「一九〇ページ」だけで、すべてうまくいきます！

斎藤一人 人生が全部うまくいく話

斎藤一人

「嫌な気分がしても、すぐスっとした気分になる」「最高の笑顔が簡単にできる」……一回読むと困ったことがなくなり、七回読むとすべてが思い通りになる伝説の名著。いいことが雪崩のごとく起こります！

斎藤一人 あっ！と驚くしあわせのコツ

小俣和美

斎藤一人の一番弟子が教える、「ふつうの主婦が億万長者になる、日本で一番簡単な方法」。本書を読んでいるうちに、人生でもっとも大切な坂「ま坂（まさか）」が、あなたの目の前に必ず現れますよ。

斎藤一人のツキを呼ぶ言葉

小俣貫太［監修］　清水克衛［著］

「ツイてる。ツイてる」「それは簡単なんだ」……口に出すだけで、不思議なほど運がよくなる、斎藤一人の「魔法の言葉」。本書では効果絶大の言葉を集めました。あなたも奇跡を体験してみませんか。

斎藤一人の百戦百勝

小俣貫太

「納税額日本一――達成！」「納税額・十年連続十位以内――達成！」「累計納税額日本一――達成！」。仕事で、金儲けで連戦連勝を続ける、斎藤一人の「人生の勝ち方」を紹介。一人さん本人が語る「講話ＣＤ」つき！

C50001